Glahn

Av KNUT FALDBAKKEN
er tidligere utgitt:

Den grå regnbuen, 1967
Sin mors hus, 1969
Sin mors hus (Lanternebok), 1974
Eventyr, 1970
Maude danser, 1971
Maude danser (Lanternebok), 1976
Insektsommer, 1972
Insektsommer (Lanternebok), 1982
Uår. *Aftenlandet,* 1974
Uår. *Sweetwater,* 1976
Uår. *Aftenlandet/Sweetwater* (Lanternebok), 1978
Tyren og jomfruen, 1976
Adams dagbok, 1978
Adams dagbok (Pocketbok), 1982
E 18, 1980
E 18 (Pocketbok), 1981
To skuespill, 1981
Bryllupsreisen, 1982
Bryllupsreisen (Pocketbok), 1983

Knut Faldbakken

Glahn

Roman

Gyldendal Norsk Forlag · Oslo

FØRSTE DEL

1

Det ligger en bok på nattbordet mitt, en gammel kjærlighets-
roman, vellest, slitt i permene. Hun sendte den til meg med
et brev: «Glahn, jeg hører du er syk . . .» Uventet, men også
helt unødvendig. Hvorfor skulle hun bekymre seg nå? Jeg
tenkte på det noen dager, leste brevet igjen og igjen til det
gjorde meg rasende: Hvor likt henne å komme med et slikt
utbrudd: «Glahn, jeg hører du er syk . . .» Det er som jeg for-
nemmer stemmen hennes under ordene, gjennom den uvør-
ne, barnslige skriften, opprømt og ustadig, impulsiv, upåli-
telig i alt hun foretar seg. Og jeg føler meg slett ikke syk, jeg
har det utmerket! Hvorfor plager hun meg fortsatt?

Jeg la både boken og brevet vekk og glemte det hele slik
jeg glemmer så mange ting . . .

Men disse siste dagene har jeg hatt boken liggende på natt-
bordet, jeg blar i den, leser litt hist og her, legger den bort
og lar den ligge, tar den opp igjen: den setter meg i en selsom
sinns-stemning, jeg både vil og vil ikke trekkes inn i dens uni-
vers . . .

Hun skrev: «. . . Jeg skulle ønske du ville lese den. Det er
en vakker historie, selv om den er litt trist. Og det var ting i
den som fikk meg til å tenke på oss, på deg og meg . . .»

Jeg vet ikke om jeg skal le eller gråte av hennes ungpikevås.
Hvorfor skulle en slik anmodning, noen ord fra henne bety
noe for meg nå etter så lang tid? Men jeg kan ikke nekte for
at teksten gjør inntrykk, bringer frem bilder og stemmer:
«. . . *Det monotone sus og de kjendte trær og stener er for me-
get for mig, jeg blir fuld av en sælsom taknemmelighet, alt
indlater sig med mig, jeg elsker alt. Jeg tar op en tørkvist og*

7

holder den i hånden mens jeg sitter der og tænker på mine ting, kvisten er nærsten rotten, dens fattige bark gjør indtryk på mig, en medynk vandrer gjennem mit hjærte. Og når jeg reiser mig og går kaster jeg ikke kvisten langt bort, men lægger den ned og står og synes om den; tilslut ser jeg på den en siste gang med våte øine før jeg efterlater den der. Og klokken blir fem . . .»

Slik. Men hvorfor skal tårene presse på bak mine egne øyelokk når jeg leser dette? Hvordan er det mulig å føle med et menneske som påstår han står der og «synes om» en råtten kvist? Er det språket som gjør det? Det gammeldagse ordvalget? «. . . Den fattige bark», «. . . en medynk vandrer gjennem mit hjærte», og så videre? Eller den alderdommelige stavemåten som er bevart? Når 'hjerte' staves med «æ» betyr det kanskje noe annet og mer enn den vanlige pacemakeren, tenker jeg med et lite smil på lur, i ren lettelse over min ironi: herregud, hva er da egentlig dette for noe følerisk vrøvl? «Jeg ser på den en siste gang med våte øine . . .» Hold opp! Spar meg for mer!

Men likevel er det som om mitt eget hjerte slår tyngre, og et kor av stemmer vekkes i mitt eget indre, gjenkjennelsens stemmer. Og blant dem kan jeg lett skille ut én: gale Glahns stemme som så lenge har talt og tordnet og tryglet for døve ører fordi det har vært nødvendig å glemme Glahn som han var. Det har vært best for behandlingen. Men nå står han frem for meg, lys levende, feiende gjennom solskinnet over Oslo i mai, vindsolen, regnværssolen . . . Blyantens dans over papiret lokker ham frem. De underlige, forskrudde setningene i en gammel roman gir ham røst: ja, jeg husker ham! Og jeg husker en sommer i Oslo, som en sommer i villeste skogen!

Jeg har satt meg til for å skrive noe. Jeg kunne jo si at det var for moro skyld, for å få tiden til å gå, men i virkeligheten er det på legens anmodning. Han mener jeg vil ha godt av det. Han sier det vil kunne bringe klarhet og avstand å skrive. Tvinge meg selv til å formulere setninger på papiret, noe omkring det som hendte den gangen. Altså skriver jeg:

En fin vårdag møtte løytnant Thomas Glahn en ung pike som han forelsket seg hodekulls i ...

Men kan det være så enkelt? Kan alt virkelig være sagt med dette? Jeg mister motet og krøller papiret sammen. Jeg greier aldri å skrive historien om gale Glahn som gjorde kjærlighetsrusen til sin eneste sanne virkelighet ...

Men legen oppmuntrer meg til å fortsette: «Skriv», sier han. «Skriv det ned så nøyaktig og nøkternt du kan, om du greier å avmystifisere det som hendte på den måten, er mye vunnet ...» Og han sender meg sitt mest vennlige, medvitende smil, som om dette er noe vi kjemper med sammen, og klapper meg til og med på skulderen med et kameratslig glimt i øyet. Så jeg prøver igjen:

Dimittert løytnant Thomas Glahn møtte en dag en ung pike på gaten i Oslo. Hennes navn var Edvarda, og han forelsket seg straks så heftig i henne at han glemte sin fortid og mistet interessen for fremtiden. Derfor ble hans ord og handlinger så ubegripelige for alle andre ...

Kan dette føre til noe? Jeg merker en uro stige i meg: kanskje enkelte ting likevel burde få ligge der urørte? Få hvile under et slør av fortid, omspunnet av stillhet? Jeg stryker og skriver:

Derfor ble hans ord og handlinger så skjebnesvangre for alle andre ...

Sant eller ikke? Skyld og ansvar har retten fordelt. Resten er gjengrodde stier i villniset, våre innerste følelsers dampende, ugjennomtrengelig urskog. Kan det være nødvendig å gå dem opp nå?

Jeg balanserer blyanten under pekefingeren med spissen mot blokken. Den kaster en lang skygge mot venstre. Det begynner å bli sent på dag. Spisetid. Jeg kunne selvsagt gå ut, treffe de andre, slå av en prat, men jeg velger å spise her som jeg pleier, selv om det går bedre nå. Jeg har ingenting å klage over, men jeg får sjelden besøk. Og jeg oppsøker heller ingen.

2

Jeg skriver, javel. Min historie skal være fort fortalt, enkel og banal som den er, banal som forelskelsen selv: Jeg husker at jeg gikk omkring i Oslo under et flommende solskinn. Når jeg tenker på denne tiden, tenker jeg mest på solen, vindsolen, regnværssolen, hvordan den sto inn i rutene selv i den ensomste bakgårdsleilighet.

Gatelangs i solskinnet bare med klærne jeg gikk og sto i, noen personlige eiendeler i en veske, ikke så imponerende kanskje, ikke så mye å klare seg med, men nok for meg. Jeg var fri. Jeg nøt å være i drift i ansiktsstrømmen langs fortauene, alene blant alle, men spent og oppmerksom. Tilfreds. Som en jeger på jakt ...

På jakt etter hva? Spør meg ikke. Om jeg stanset opp et øyeblikk, om jeg festet meg ved noe, kunne det like gjerne være et duepars kjærlighetsvals i streng firkant, som et solblink igjennom en lindekrone, eller et stort, kruset hår over en fin, nett profil ... Nei, ingenting spesielt. Jeg betraktet alt og alle jeg gikk forbi med samme oppmerksomhet, samme sult. Været var fint, det var mai måned, lyst så å si hele natten, hvem kunne sove? Ingen finner noe påfallende i at en mann rusler gatelangs i det fine vårværet, i vårkvelden når tusmørket lister seg frem mellom murveggene og lokker luktene etter seg. Med det tidlige sommerlyset er det som et mildere, spørrende drag blir lagt over norske menneskers ansikter, et smil, antydningen av en forståelse som gjør selve fremmedheten til noe felles. Hvilke drømmer!

Om jeg så henne igjen en dag senere, så var det kanskje tilfeldig. Men tredje dag var det ikke tilfeldig. Jeg drev nedover den samme gaten, i ansiktsstrømmen, og så henne på lang avstand, dreide opp en sidegate, bøyde meg inn mot et vindusglass og kikket tilbake, jo det var henne som gikk forbi, fort, med bestemte skritt og en trassig holdning. Og jeg så ham som gikk sammen med henne, en høy, storvokst mann litt eldre enn jeg, en skikkelse som ruvet over de andre på fortauet, han var ikke til å ta feil av: Mack. Carl M. Mack fra Evjemoen. Sersjant da jeg var rekrutt. En rikmannssønn som fulgte familietradisjonen. Vi hadde vært venner, en slags venner den gangen, men jeg hadde ikke sett ham siden han dimitterte. Nå gikk han der sammen med henne jeg antok måtte være hans datter, med et bestemt, men samtidig hjelpeløst uttrykk i det tunge ansiktet. Nå sakket hun noen skritt bakut — jeg bøyde meg dypt inn mot vindusruten — nå stanset hun som om hun hadde ombestemt seg og ikke ville være med lenger. Han gikk et par skritt før han snudde og så seg tilbake, snakket til henne, hun kastet på hodet og så i min retning; før jeg rakk å snu meg bort, fikk jeg et glimt av hennes rasende ansikt, lyseblå øyne under et vilt, krøllet hår, ungpikefylde i kinnene, overklassens glatte, velnærte hud. Jeg hørte hans rungende stemme over trafikklarmen og ville haste avgårde, bort fra den pinlige scenen. Men så var dette en dag da værgudene moret seg med å sende plutselige regnstyrt ned mellom solskyllene, heftige skurer som jaget sommerkledde mennesker til alle kanter. Og nå pøste det ned med ett, så jeg pent måtte bli stående under markisen og betrakte mine mismodige skotupper mens folk løp i ly og gaten tømtes omkring meg.

Da hørte jeg plutselig stemmen igjen, kommandostemmen, helt inne i øret:

11

— Glahn . . . ? Men er det da ikke Thomas Glahn? Herrebevares . . . ! Der sto han i sin lyse sommerdress med mørke flekker av regnvann og smilte og slo meg på skulderen som om vi ennå var verdens beste kompiser, enda det måtte være over femten år siden sist vi så hverandre.

— Det er jamen en stund siden!

Atten år siden ganske nøyaktig. Atten år siden han dimitterte og reiste hjem for å gifte seg.

3

Vi ristet hverandres hender. Vi så hverandre smilende inn i ansiktet. Han nevnte navnet mitt om og om igjen. Selv fant jeg først ikke stort å si, jeg hadde vært så lenge alene at jeg var kommet ut av vanen med konversasjon. Jeg oppsøkte ikke gamle bekjente, men jeg unngikk dem heller ikke. Nå kjente jeg hans varme vennlighet strømme mot meg. Jeg ble rent rørt av takknemlighet. Han hadde lagt på seg, fått en svær korpus, han var blitt tynn i håret, men leppene hans var fyldige og tennene sterke når han lo. Han lo ofte og rungende og de brune øynene rommet både humor og melankoli.

Men det var henne jeg skulle beskrive:

— Edvarda, kom hit og hils pent på en gammel venn av meg . . . Hun hadde stått med ryggen demonstrativt til og kikket på vindusutstillingene. Nå snudde hun seg og så på oss, et fort blikk i min retning, et lengere, direkte anklagende blikk på faren:

— Ikke det navnet da, pappa. Vær så snill . . . !

Mack smilte og blunket til meg som om han ville si: «Slik er det, slik er hun, skyld ikke på meg . . .»

— Eddie, sa piken og rakte frem hånden. Vennene mine

12

kaller meg Eddie . . .

— Jeg liker Edvarda, sa jeg og trykket hånden som var varm og litt fuktig.

— Men det er så gammeldags!

— Det er vakkert. Jeg føler meg faktisk av og til litt gammeldags selv. Edvarda . . . En mann kunne gå gjennom ild og vann for et sånt navn . . .

Jeg vet ikke hvorfor jeg sa det, eller hvor denne idéen kom dumpende fra, jeg vet bare at jeg hadde en følelse av å måtte fortsette når denne jentungen først hadde satt øynene i meg, jeg måtte fortsette å holde på hennes oppmerksomhet. Når hun så på meg, ønsket jeg plutselig at jeg var et helt annet sted, på en skogsti sammen med henne, hvor ingenting kunne forstyrre oss, hvor vi gikk sammen og bare kjente naturen, eller vekslet små ord, selvfølgeligheter uten dybde og konsekvens som likevel mellom oss ville være signaler på noe viktig og gjennomgripende som var iferd med å skje . . .

Men Macks latter avbrøt:

— Ild og vann! Ja, du Thomas, du var nå alltid en ekte, uforbederlig romantiker . . . Hahahaha! Ild og vann . . .! Flott! Helt utmerket! Fortsett gamle venn, hun har ikke klort ut øynene på deg ennå . . . Hahaha!

— Åh, kan du aldri ti stille da, pappa!

Og så snudde hun seg mot meg igjen, utålmodig, som om hun ventet at jeg skulle gå gjennom ild og vann der og da:

— Hva driver du på med da, Glahn?

Dette enkle spørsmålet satte meg i akutt forlegenhet:

— Du . . . Du kunne kanskje si at jeg er en slags . . . jeger.

— Jeger? Hun gjorde store øyne. Hva jakter du på da?

Direkte barnslig forundring og interesse. Nå måtte jeg gå videre. Jeg skulle gitt hva som helst for å ha hatt dette usagt. Jeg måtte minne meg selv om at jeg sto og snakket med min gamle venn Macks unge datter, en skolepike.

— Det er kanskje riktigere å si at jeg følger mine egne veier,

13

som en jeger trår sine ensomme stier i skogen. Jeg liker meg i skogen. Jeg synes av og til jeg befinner meg i skogen selv når det ikke er noen skog der jeg er . . .

— Det der skjønner jeg! utbrøt hun. Og jeg visste at vi var to der på stien.

— En jeger i skogen . . . mumlet Mack og den store kroppen hans ristet av latter.

— Men hvordan har livet egentlig fart med deg da, Thomas? Jeg følte meg plutselig ille ved under hans blikk. Jeg hadde tilbrakt siste natt på en parkbenk, våknet av morgensignalene, drønnene fra den tidligste biltrafikken, en trikk som hven sin klage nedover skinnegangen, trost i buskene, spurv under takrennene. Hutrende opp og på bena med nattefuktigheten i klærne og skoene våte av dugg. Beruset av min egen frihet mens jeg tok meg gjennom gatene som ennå hvilte i sin uforstyrrelighet, sin symmetri. Avsted for å finne et toalett som var åpent. Så frem med barbersaker, såpe, stelle seg så godt det lot seg gjøre: dager og netter i de samme klærne begynte å sette sine spor. Men hva gjorde det? Hva gjorde det før han spurte? Jeg hadde brutt opp, gått fra alt, det var en lang historie som ikke hørte hit . . . Jeg kan ikke akkurat si at jeg har vært forfulgt av uhell, likevel har tingene ikke utviklet seg slik som jeg kunne ha ønsket det. De fleste ville vel si at jeg ikke hadde drevet det til noe. Men det var ikke for sent. Jeg hadde gitt meg selv en sjanse til. Jeg gikk her i byen, i solværet, og kjente sansene våkne til liv, så på menneskene og kjente deres blikk på meg. Jeg var en fri mann. Samme morgen hadde jeg kikket inn i det flekkete speilet over en sprukken vask på toalettet på Oslo Sentralstasjon og sagt til meg selv: «Jeg er lykkelig.» Og gjentatt det en gang til, høyere: «Jeg er lykkelig! Lykkelig!» Før jeg bøyde meg og tørket av skoene så godt jeg kunne med toalettpapir.

— Hvor lenge holdt du ut i Kongens klær?

14

Fremdeles sto jeg som på sprang, fremdeles behersket jeg situasjonen og kunne jeg trekke meg ut av hans vennlighet, bort fra hans nysgjerrige omtanke. Men så var det henne, piken Edvarda, som nå demonstrerte at vår samtale kjedet henne, ved å gå tilbake til utstillingsvinduet. Og likevel var det som om hun så meg, som om hele energien i hennes nærvær var rettet mot meg der hun sto med ryggen til. Og jeg var blitt opptatt av hvordan de kraftige leggene hennes så ut til å ville sprenge skaftet på de halvlange svarte støvlettene hun hadde på bena. Og under det tynne strømpestoffet skimtet jeg virvler av kraftig mørk hårvekst. Det korte skjørtet fikk hoftene hennes til å virke for brede, samtidig som det gjorde henne yngre enn hun virkelig var. Skjønt hva var hun? En jentunge som ennå ikke var vokst ut til sin ferdige form. Noen byste var ikke å skjelne under en vid, uformelig jakke. Likevel var det som jeg kjente lukten av bar og lyng i nesen mens jeg fortalte faren hennes at jeg hadde søkt Krigsskolen rett etterat han hadde dimittert, drevet det til løytnant, men gitt opp militærkarrieren for flere år siden.

— Løytnant Thomas Glahn . . . Han smakte på ordene: Løytnant Thomas Glahn . . . Det er riktig, jeg husker navnet ditt på noen resultatlister, militære mesterskap, ikke sant?

— Jeg la opp da jeg dimitterte, så det er nok lenge siden.

— Synd . . . filosoferte han og lot en oppriktig beklagelse flyte inn i det brune blikket: Synd at du la opp. Du hadde det i deg . . . Vet du, Edvarda, denne mannen her, min gamle venn Thomas, er en mesterskytter. Vi trodde han skulle ende på VM-laget. Og nå sier han at han har lagt opp . . .

— Du har jo også en masse pistoler og greier hjemme, pappa.

Nå bestemte hun seg for å vise sin interesse igjen, hun så ikke rett på meg, men jeg følte likevel at det var meg hun egentlig henvendte seg til.

— Tja, jeg har jo en liten samling . . . Plutselig så Mack litt bortkommen ut i sin lyse dress med regnflekker på, som satt litt for stramt, og sine vanntrukne dyre sko. Han hadde ikke vært noen god skytter da jeg kjente ham.

— Bare synd ikke mamma lar deg få lov til å skyte! Det skrå, blå blikket var fullt av hån.

— Hun tar livet av meg! sukket han og fulgte regndråpene som løp langs baldakinens flekkete kant: Jeg skjemmer henne bort. Hun får alt hun peker på, og hør hvordan hun behandler meg. Snakk om respekt. For ikke å snakke om hvordan hun blir om *jeg* en sjelden gang skulle be *henne* om noe, en liten ting som for eksempel å stå til eksamen ...

— Pappa da!

Hun sto med ryggen til oss igjen, lent opp mot speilglassruten med kinnet mot glasset som om hun ønsket å smelte inn gjennom vinduet og bli borte.

— Pappa meg her og pappa meg der ...! Han slo ut med armene i overdreven oppgitthet, han overdrev alt han gjorde, som om følelsene som lå oppdemmet i den store kroppen var så voldsomme at de måtte sprenge enhver forholdsmessighet når de skulle komme til uttrykk.

— Det eneste jeg har gjort er å finne en privatlærer i matematikk til henne. Ellers stryker hun nå til våren. Men tror du hun stiller opp? Nei da. Hun skulker og drar ut med vennene sine på dans og dill og jeg vet ikke hva. Så jeg må følge henne, tre ettermiddager i uken...!

— Jeg gir blaffen i skolen! mumlet hun inn mot speilglassruten. Jeg gir blaffen i Artium ...!

— Jada, jada, det er greitt at du gir blaffen! ropte Mack. Men *jeg* kan ikke gi blaffen! *Jeg* er nødt til å bry meg om min datters fremtid!

Det var som hun sank litt sammen under hans barske kjærlighetserklæring. Han sto et øyeblikk og så på henne som om han ikke kunne bestemme seg for å gripe henne i armen og slepe henne med seg videre nedover gaten, eller la være. Så

snudde han seg mot meg med det gamle kameratslige glimtet
i øyet:

— Men du må komme ut og besøke oss, Thomas. Eva vil
sikkert like å treffe deg, du husker jeg fortalte deg om Eva?
Min forlovede den gangen?

Jada, jeg husket Eva, og jeg husket bildet han hadde vist
meg.

— Du kommer til middag en dag! ropte han entusiastisk
og dunket meg i ryggen. Ja han gjorde mer enn det, han la
armen sin tungt og kameratslig om skulderen min og klemte
til så jeg syntes jeg kunne kjenne varmen fra kroppen hans
gjennom klærne.

— Jada, klart det. Tusen takk, sa jeg og tenkte at om noen
minutter ville vi være på vei til hvert vårt og aldri mer sees
igjen: Så hyggelig . . .!

Vi sto som to brødre, tett sammen under den stripete,
skjoldete markisen, som i felles fangenskap bak de utallige
drypp og bekker av regnvann som løp langs kantene, samlet
seg og dannet et glitrende gitter der de falt ned på fortauet.

4

På skrivebordet mitt står en liten skulptur av en skoggud som
lokker en yngling. Det er en av de få pyntegjenstandene som
finnes her, en kopi av et klassisk verk, antagelig fra italiensk
senrenessanse, den nennsomme utformingen tyder på det,
de slanke, estetiske linjene i guttekroppen. Mens selve tema-
et taler mer om barokkens opptatthet av det sanselige: saty-
rens bydende arm om ungguttens skulder, hans overtalende,
lystige grin, hans hover og horn, hans overdimensjonerte

17

kjønnsorgan. «Pan og Daphnis» kan jeg lese på sokkelen. Pans forførelse av unge Daphnis som vegrer seg. Erfaringens voldtekt mot uskylden som snur hodet halvt bort og ber om enda en liten utsettelse, enda en tid i uvitenhet til å spille rene fløytetoner og la kroppen drømme sine uuttalte løfters drømmer. Men pusten fra geitemunnen kiler nakkehårene og blåser et rødmende bluss i de glatte marmorkinnene, nesten pikelig fyldige i sin perfekte ynde. Pan og Daphnis. Daphnis og Pan. Hvem har overtaket? Hvem er den egentlige forføreren?

Jeg tenker på oss tre under baldakinen, Mack, Edvarda og jeg, fanget inn i et glinsende nett av regnvann. Han full av støyende kameratslighet og forlegen omsorg for datteren. Jeg med en voksende følelse av å ha mistet min frihet. Og henne, Edvarda, skolepiken som spilte ut sitt lille drama, inntok sine ulike attityder mellom ham, meg og speilglassruten, og fikk oss begge til å trå omkring henne i et nølende, dansende frieri i takt med hennes skiftninger. Der startet det, og der kunne alt ha sluttet mens været letnet og dråpene trommet i muntrere takt på markisen. Hver til sitt. Men han slapp ikke grepet om skulderen min, tvert imot, han grep enda hardere til. I øyekroken så jeg to gullringer glimte på fingeren hans. Jeg så hvordan skjorten strammet seg over den brede brystkassen hans hvor en knapp truet med å springe rett i øyet på meg, og stemmen hans lå plutselig i et dypere lag, medfølende, men samtidig med en illvarslende skråsikker undertone:

— Du er hardt ute å kjøre, ikke sant, Thomas? Du går ute, hva? Du trenger et sted?

Da så hun rett på meg igjen, og jeg følte for første gang at min ubefestede situasjon og mitt lurvete utseende, min vandring på måfå langs jegerens ensomme stier ikke innebar noe negativt eller suspekt for henne. Tvert imot: Øynene hennes sto litt på skrå, de var lyseblå og meget klare, og de så på meg som om jeg var en åpenbaring, en mann annerledes

18

enn alle andre, et vesen annetstedsfra. Og jeg hadde ingen betenkeligheter med å svare bekreftende på hans spørsmål som først hadde satt meg i akutt forlegenhet.

5

Doktoren er fornøyd med min fremgang. Han mener disse skriveriene allerede gir positive resultater, etter at våre samtaler mer eller mindre har kjørt seg fast. Av det han sier, forstår jeg at han har lest også de arkene jeg krøller sammen og kaster. Jeg tenker et vilt sekund på å brenne dem, la mine mislykte forsøk på rekonstruksjon gå opp i flammer. Men hvor skulle jeg få fyrstikker fra? Og hva er det egentlig å skjule? Vi har jo snakket om alt . . .

— Merkelig . . . , sa han sist han var inne hos meg: M-merkelig hvor samme situasjon k-kan oppfattes forskjellig av dem som opplever den . . .

Jeg tok dette som en skjult anklage om uærlighet. Jeg fór opp. Men han beroliget meg: Dette var helt vanlig, ja kanskje det «normaleste», mest menneskelige trekket vi har . . . Og jeg lot meg berolige.

— Men . . . , la han til idet han sto ved døren og lot det vennlige, forstående blikket han alltid betrakter meg med flyte ut i det uvisse fjerne: Men d-det finnes selvsagt alltid en hårfin grense der denne subjektiviseringen går over til å bli virkelighetsforvrengning. Og d-den grensen . . . Nå har blikket hans søkt meg igjen som en pekefinger: *dén* grensen er det vi psykiatere alltid må være på jakt etter! Imens kan du jo kikke litt på dette om du har lyst . . . Han lar en rød perm falle ned på sengeteppet mitt, nikker vennlig og går. Han vet at jeg er begynt å lese igjen. Han ser det som et positivt tegn.

19

Jeg vet hva han vil ha meg til å lese nå. Rapporten. Macks forklaring etter ulykken. Han har henvist til den flere ganger under våre samtaler. Nå er jeg moden for Macks stemme, hans egne ord buldrende i øregangene. Men jeg behøver jo ikke utsette meg for dette. Jeg kan la den ligge mens jeg fortsetter min egen beretning. Doktoren skal ikke få alt som han vil.

Det viste seg altså at Mack hadde «løsningen på mitt boligproblem» som han uttrykte det, med andre ord, en hybelleilighet innredet i den samme gården hvor hans firma hadde kontorer. Et sted han brukte til overnattinger «når møter og slike ting trekker utover natta, og det hender jo, hahaha . . . Du skjønner? Hytta i byen, kaller jeg kåken — der kan du flytte inn med en gang. Bare som en liten mellomlanding til du finner noe for deg selv, ikke sant?» Armen om skulderen, pusten i øret, Daphnis for vek og for ubesluttsom til å vri seg ut av satyrens lokkende grep. Eller . . .

— La meg få gjøre dette for deg, Thomas, ba han. La meg få gjøre deg denne tjenesten. Du vet, jeg beundret deg faktisk den gangen. Beundret deg!

Hvem var forføreren?

Jeg gjorde meg kostbar, sa at jeg umulig kunne ta imot, at jeg hadde andre ting jeg skulle foreta meg denne dagen . . . Men svaret mitt var gitt allerede, for skolepiken Edvarda hadde satt øynene i meg og begynt å styre mine handlinger fra dette øyeblikket av. Vi var to der på stien.

Det sparsomme interiøret tiltalte meg: foran sovesofaen et lavt salongbord og en lenestol. Ved den ene veggen et lite skatoll. Ved den andre en bokhylle uten bøker, men med et lite TV-apparat, et elektrisk ur og to-tre gjenstander, sannsynligvis souvenirer fra reiser. Kjøkkenavlukket var lite, men utstyrt så jeg lett kunne tilberede et enkelt måltid. Toalettet hadde et dusjkabinett. Det eneste vinduet vendte mot vest. Nede i gårdsrommet så jeg et enslig løvtre stå og strekke grenene oppover, opp, helt opp til mitt vindu i fjerde etasje. Holmenkollen tegnet sitt slake fall mot vesthimmelen hvis milde lys la myke konturer på hustakenes vinkler og flater, fylte hybelen med forsoningens bløte rødme.

— Glahn . . . , sa hun undrende. Løytnant Thomas Glahn. Du har jamen også et gammeldags navn, løytnant Glahn . . . En treffer aldri løytnanter lenger, det var før det, på ball og slikt . . . Så stilig å treffe en løytnant . . .

De hadde fulgt meg opp begge to, men Mack hadde hatt et ærend i kontorene nedenunder og vi var blitt alene et øyeblikk på stien av blomster og mose. Men nettopp som jeg var ved å overvinne min forlegenhet og ta hånden hennes og føre henne helt inn under overhenget av duftende bartrær og fallende grønt, var han der igjen med sin store korpus og sin velvillighet:

— Du Thomas, jeg kom til å tenke på noe. Jeg har et forslag å stille deg, og du må bare føle deg fri til å svare helt som du synes, men jeg fikk en idé som kanskje kunne snu denne situasjonen til noe vi kunne dra felles fordel av . . . Han så nesten bedende på meg som om han straks ventet mitt samtykke til et forslag jeg ennå ikke visste hva gikk ut på. Men jeg var fremdeles i skogen, opptatt av krøllene i Edvardas hår, for distrahert og for sky til å kunne svare ham på hans invitt, så jeg ventet.

— Du vet kanskje at jeg er samler . . . ?

Nei, jeg visste ikke at han var samler, og heller ikke hva han samlet på.

— Alt mulig, faktisk, gamle ting, kunstgjenstander, alt som er vakkert, og så våpen da, kanskje først og fremst våpen.

Han ville kort fortalt, ha meg til å gå på jakt etter samlerobjekter for ham, tråle antikvitetsbutikker, antikvariater, rote omkring hos skraphandlerne. Jeg skulle selvsagt få godtgjørelse for bryet. Han trakk frem en lang, lekker lommebok

21

som han dasket ned i den åpne håndflaten mens han snakket. Gjerne forskudd. Han lot et par store sedler dale ned på bord- platen mellom oss:

— Ja, ikke ta det ille opp, gamle venn, men du ser faktisk ut som du kunne trenge litt driftskapital akkurat nå, hva? Så, ingen innvendinger — det er et lån, ikke sant? Til du kom- mer deg på bena igjen ...

Jeg nølte ennå, men han lo mine innvendinger bort med sin høye, tvungne latter:

— Glahn, Glahn ... Alltid din egen mann, hva? Vet du, jeg beundret deg faktisk den gangen, jamen gjorde jeg det!

Han gjentok dette som om det var om å gjøre for ham å ut- ligne styrkeforholdet mellom oss nå da jeg på sett og vis var i hans varetekt.

— Men da kommer du utover og besøker oss en dag da, Thomas? Har fått meg et brukbart sted ute i Asker, ved fjor- den. Litt langt fra byen, men deilig og fritt. Eva vil sikkert gjerne treffe deg ...

— Ja, du må komme ut og bade en dag, skjøt plutselig Ed- varda inn. Når faren snakket var det som om blikket hennes sluttet å søke utover, og hun kapslet seg inn i seg selv. Men nå brøt hun gjennom hans taleflom:

— Det er så fin strand ute hos oss, helt usjenert. Man kan sole seg splitter naken om man vil!

Og hun så trassig på faren som prøvde å overdøve henne med sin sprengte latter:

— Der har du ungdommen, Glahn: Frekkheter og fornøy- elser. Ikke annet enn frekkheter og fornøyelser. Men nå er det matematikk, min kjære unge dame ...!

Hun kastet på hårmanken. Rommet virket trangt når tre voksne sto oppreist. Jeg lengtet etter å være alene, samtidig som jeg gruet for øyeblikket da de skulle gå.

— Jeg skaffer henne en privatlærer, en utmerket ung mann...

22

— Han er en hoven blei av en student!

— Og nå har hun visst fått det for seg at jeg vil spleise dem sammen, og nekter å gå til timene . . . Er det slik, Edvarda? Hahahaha . . . !

— Herregud, pappa, du overgår virkelig deg selv idag!

Hun flyktet mot døren forfulgt av hans latter. Jeg flyktet med henne der jeg sto tilbake, ut, ut i vårkvelden der mailyset snur døgnet rundt, der lukten av grønt fra et enslig kastanjetre gjør at asfalten får som et dekke av mose og lyng, gyngende, angende . . .

Det gikk fort å pakke ut de få tingene jeg hadde: toalettsaker, undertøy, et par skjorter, sokkeskift, et plastomslag med de nødvendigste papirer. Alt sammen fikk plass i de to nederste skuffene i kjøkkenbenken. Revolveren, en tung Smith & Wesson la jeg for sikkerhets skyld under madrassen i sovesofaen i stuen. Min egen stue. Min hytte i byen. Jeg slo vinduet opp, det var varmt, uvanlig varmt til å være i mai. Noe bøss faller ned i gården. Her har det visst ikke vært åpnet vinduer på ganske lenge. Jeg sto og nøt luftningen og kjente virkelig lukten av grønt fra kastanjetreet som sto der på tå i det dype gårdsrommet og lot sine bladvifter sprette, en ti-tolv-fjorten meter høy fontene av grønt som raslet sin duft mot mitt åpne vindu. Det var suset av fjern trafikk, den hviskende sangen av menneskestemmer langt unna, et sug, et ustanselig sug . . . Yrvåken, utslitt av inntrykk skrittet jeg opp og ned i min stue, slo TV-apparatet på og lot meg falle ned i den dype lenestolen mens bildene flimret, en film, en mann på flukt, hans fiender og hans kvinne . . . Når jeg reiser meg og slår lyden ned, er det som jeg enda bedre kan tenke meg inn i handlingen, tolke aktørenes ansiktsuttrykk, deres følelser. Jeg føler at jeg forstår dem, jeg blir grepet, øynene fylles av tårer . . . Det er varmt i rommet. Jeg knepper opp skjorten og drar den av, tar av meg buksene. Vinden fra vinduet. Det dånen-

de suset utenfra . . . Jeg sovner og våkner igjen når byens nyn-
ning er blitt identisk med sangen fra skjermen hvor millioner
av prikker danser som talløse svermer av øre mygg mot den
lyseste demringshimmel.

6

Jeg drev omkring i byen med Macks penger i lommen og så
etter ting som kunne ha interesse for ham. Av og til fant jeg
noe, kjøpte det, tenkte at jeg hadde gjort en god handel,
holdt min del av avtalen, skaffet meg et lett 'bytte' som ville
holde liv i meg en stund til. Jeg følte ikke min uavhengighet
truet av dette. Det heftet ingen forpliktelser ved pengene jeg
hadde fått. Mack viste seg ikke på mange dager etterat jeg var
vel installert i hybelleiligheten. Jeg var fri til å innrette meg
som jeg ville, til å gå rundt som i rus og la meg fylle av de utro-
lige forsommerdøgnene som kantrer uberegnelige omkring
en akse av skumring og demring som flyter over i hverandre
og aldri toner ned til mørk natt. Jeg sov, jeg våknet og kjente
meg sulten, løp ut og fant gaten fylt bare av ekkoet fra mine
egne skritt. Alene. Alene . . . Hvorfor skulle jeg tenke på
henne, en ungpike jeg hadde møtt en eneste gang og vekslet
noen ord med, som nå sikkert var opptatt av alt annet enn
tanken på vårt møte, eksamen, venner, fornøyelser, ferie . . .
Men natteluften bar luktene med seg fra parkene, hagene,
grøntanleggene. Gaten blomstret og bugnet i mine oppspilte
sanser: var det likevel ikke slik jeg likte meg best? Alene i sko-
gen? På fortau, på vegger og murer så jeg jo spor, plakatres-
ter, skrift, slagord oversprøytet av andre slagord, navn, utrop,
anklager og betroelser. Menneskesinnenes uro. Jeg gikk som
blant mennesker gaten opp og ned, og jeg vet ikke lenger hva

jeg tenkte og ikke tenkte. Til slutt falt jeg i en slags søvn foran TV-skjermens flakkende skumringslys.

«Således gik mangen nat».

En setning i din gamle bok gir meg bildet av Glahn tilbake, Edvarda, hvordan han uflidd og dårlig kledd tumler gatelangs, følger sine lengsler, sine impulser, hit og dit, snart inn i et portrom hvor det flyter en mørk, muggen eim fra en dyp sprekk i storbyens råtne buk, så opp i de friere, åpnere strøk av byen hvor han fra en parkbenk kan nyte utsikten utover takene, få et glimt av havnen og havet, sveve med måkene, skvatre med småfuglene i sprekkene mellom taksteinene, hjelpeløst forelsket i alt levende, i livet selv . . . Hadde det ikke vært for ditt barnslige brev som fulgte med boken, den upassende bemerkningen om at enkelte ting i den «minner om oss», så hadde det kanskje blitt lettere for meg å fortelle historien om Glahns forelskelse slik den fortoner seg nå; enkel, opplagt, ja hverdagslig: Tross alt er konstellasjonen med en voksen mann og en ungpike ikke nettopp den originaleste i kjærlighetslitteraturen. Og heller ikke i livet. Men nå er de gammelmodige setningene begynt å forfølge meg og gi selv det ubetydelige tyngde og mening. Og stemmen din under den åpne, uryddige pikeskriften: «Glahn, jeg hører at du er syk . . .» Hvorfor omsorg så sent? Hvorfor omtanke nå, etter all denne tiden?

I plutselig irritasjon kaster jeg boken fra meg og setter meg til å skrive. Jeg skriver: Slik gikk mange netter. Det lyder bedre. Hva bryr jeg meg vel om en gammel roman?

Det banker på døren, det må være legen som kommer innom for å minne meg på vår samtaletime. Han ser at jeg sitter og skriver, nikker oppmuntrende, før han trekker seg tilbake. Som om dette er en jobb vi fullfører sammen:

Slik gikk mange netter, i uro og venting, venting på ingenting, for ingenting har jo skjedd ennå. Ingenting . . .

25

Septembersolen har ennå litt varme i seg der den faller inn over skrivebordet. Ennå rasler og glitrer det i løvverket ute i parken så en kunne tro noen lekte og lo der ute blant buskene, og Pans arm ligger vennlig, men samtidig bydene om Daphnis' runde ungguttskuldre. Han er atletisk i kroppen, men uferdig, uutvokst, magen er flat og hoftene runde, hans penis ennå uskyldig og yndefull ...

Mack stakk innom en dag. Han hadde lagt an en forretningsmessig fasade. Dress, slips, spisse sko som han glemmer å pusse. Hele hans ytre utstrålte autoritet, disiplin. Men han smatt inn gjennom døren som en beiler på ulovlig frieri. Han trippet, han kikket nervøst på klokken, og det var ikke lett å bli klar over om det var sin egen kostbare tid han ikke ønsket å bruke for mye av på dette improviserte besøket, eller min:

— Hei. Jeg hadde en halvtime. Jeg håper jeg ikke forstyrrer.

Nei, hva skulle han vel forstyrre? Dessuten, gården er hans, firmaet har kontorer i to etasjer og ekspedisjonslokaler i første. Fine gammeldagse messingskilt ved dørene. Store bokstaver tvers over husfasaden: Mack & Søn. Import. Engros. Detail. En mektig handelsbedrift gått i arv. Men jeg vet jeg har lest at tidene er ved å forandre seg for den slags forretning.

— Jeg ville bare se om du fant deg til rette. Om det er noe du trenger. Penger ...?

Nei, penger. Jeg har ikke rukket å bruke stort. Tvert i mot har jeg et par ting å vise ham, et par bøker, førsteutgaver jeg kom over i et antikvariat ... Han ser så vidt på dem og takker overstrømmende, vil igjen gi meg penger, hvilket jeg avslår. Så insisterer han på at vi skal drikke. Jeg kan bare trekke på skuldrene for jeg har ingen drikkevarer. Nettopp dette ventet han på, for med et skøyeraktig smil går han han bort til skatollet som jeg hadde funnet låst, og får skriveklaffen til å

26

sprette opp ved å gi det et lett dunk i sidepanelet, slik at den åpenbarer et dobbelt geledd av flasker og glass:

— Whisky, gamle kriger . . . ?

Jeg kan ikke avslå. Han heller opp drøyt.

— Praktisk med en liten hytte i byen, hvor det attpå til er en brønn, hva? I tilfelle du skulle bli tørst etter stengetid. Hahahaha . . . !

Vi drikker og han kommer i enda bedre humør, forteller meg løst og fast om sine forretningsprosjekter, planer om innkjøp og distribusjon av nye vareslag, mens han uten ro skritter opp og ned i det trange rommet, stanser ved vinduet, ser ut, kommer på noe annet:

— Det er sant, gården skal pusses opp. Håper det ikke blir for utrivelig for deg mens det står på . . .

Jeg har sett stillasene som er satt opp og to store containere til gammel murpuss og avfall, men ikke festet meg videre ved det. Jeg er likevel våken når andre begynner sin arbeidsdag.

Så har han hastverk igjen, ser på klokken, må dra med det samme:

— Skal møte Edvarda etter matematikktimen. Jeg lovet henne skyss hjem idag. Hvem kan bli klok på en tenåring, Thomas? Først må jeg bokstavelig talt trekke henne avgårde til timene. Og nå er hun omtrent ikke til å få rikket derfra. Hun sier hun ikke kan utstå studenten, privatlæreren sin. Likevel klipper hun håret av hodet for å gjøre inntrykk på ham!

Før han gikk, gjentok han sin invitasjon om å komme ut og besøke familien. Vi måtte snart finne en dag som passet:

— Eva vil bli så glad om du kommer . . .

Jeg takket igjen. Det lå en tykk konvolutt etter ham på bordet, da han var gått.

Bare fem minutter senere banket det igjen på døren. Jeg åpnet forbauset og så det var henne, andpusten, hektisk og varm:

27

— Er pappa her?

— Nei.

— Åh ...

— Han gikk for en liten stund siden. Han sa han skulle møte deg.

— Åh ...

Hun bøyde hodet og bet energisk på neglen. Jeg studerte den nye frisyren hennes. Det ville kruset var borte, nakken var kortklippet og moderne. Ned i pannen falt en kraftig lokk som attpåtil var blitt farget. Resten av den praktfulle manken hennes var satt inn med et stivt, fettet stoff og strøket bakover i en slags pasjefrisyre. Jeg ble fylt av en selsom sorg ved dette synet og måtte si noe for å skjule min følelse, før hun så på meg og leste den ut av ansiktet mitt:

— Du har ny hårfasong?

— Liker du den?

Hun så opp, og håpet og forventningen i øynene hennes fikk hjertet mitt til å gjøre et kast: Jeg hadde misforstått situasjonen! Det var ikke matematikklæreren hun hadde klippet seg for, det var meg! Hun var kommet hit for å vise seg frem. Jeg ble varm av glede:

— Jada. Flott. Nydelig!

Hun rødmet. Eller kanskje det bare var varmen og løpingen opp alle trappene.

— Hadde du avtalt å møte ham her?

— Tja, nei ... Ikke akkurat ... Nå rødmet hun virkelig. Men han snakket om at han kanskje skulle ta en tur oppom. Og så ble timen litt kortere idag, og så ...

Jeg fikk endelig summet meg til å be henne komme innenfor. Hun trådte forsiktig over dørterskelen, som om hun tok det første skrittet på en ukjent og farefull ferd.

— Kan jeg by deg noe? spurte jeg uten å tenke på at jeg ikke hadde noe å by på.

— Jeg er tørst, sa hun. Har du en øl?

28

Jeg hadde faktisk et par flasker øl i kjøleskapet. Jeg hentet dem og to glass. Vi overså begge Macks baroppsats i skatollet.

— Tusen takk.

Hun satte flasken for munnen og drakk uten å ense glasset jeg holdt frem. Selv fylte jeg mitt glass og hevet det formelt mot henne:

— Skål Edvarda.

— Åh. Skål. Unnskyld, jeg var så tørst . . .

Latteren hennes og varmen som hyllet seg om oss i det trange hybelværelset. Jeg følte hvor lenge det var siden sist jeg hadde vært på tomannshånd med en kvinne. Vi sto i en merkelig, stiv positur, hun med sin flaske, jeg med mitt glass ennå hevet, rett overfor hverandre, nær nok til å røre ved hverandre, men slått urørlige av forlegenhet og sjenanse i forelskelsens tidløse ugangsposisjon, som et dansepar på et herregårdsball i en gammel roman, nært og sanselig og samtidig mekanisk dreiende om sin akse innenfor et stilisert tablå, med spente ansikter og halvåpne munner som i en fastfrosset konversasjon, en ordløs, men uttrykksprengt tilnærmelse, en konvensjonell og ufarlig oppstilling, men sprekkeferdig av uutladet energi. Men idet jeg uten overlegg eller plan gjør en liten bevegelse i hennes retning som for å legge en hånd på skulderen hennes, stryke henne over kinnet, gripe armen hennes, eller bare la fingeren leke i hårmanken som hun har klippet kort for min skyld, trår hun liksom tilfeldig et skritt tilbake, kaster på luggen og sier:

— Nei, nå må jeg visst gå, ellers begynner de bare å lure.

Igjen kontant, utilnærmelig, utenfor rekkevidde. Hennes kortklipte avskjed kan ikke gi noe tilløp for tanker i hverken den ene eller den annen retning: Med et «Hei», og et «Tusen takk skal du ha» står jeg mumlende tilbake.

7

— Forelskelsen . . . sier doktoren tankefullt helt til slutt i vår samtaletime: Forelskelsen er en n-nøysom plante. Har den først slått rot, kan den spire og v-vokse av n-nesten ingenting. Jeg nikker og sier meg enig. Javisst. Det er hit vi er kommet til nå, til forelskelsen. Ondets rot, er det visst han mener. Men jeg leser i smug etter sengetid — selv om de fleste restriksjoner er opphevet nå, føler jeg at jeg gjør noe ulovlig — og lar meg beruse: «*Glæde beruser*» . . . Jeg hvisker det for meg selv mens jeg lytter til doktorens utlegning:

— Selvfølgelig finnes det dem som hevder at forelskelsen er en sykelig tilstand, den forelskede er jo full a psy-psykopatiske trekk, ikke sant? En mild form for s-sinnssykdom kunne vi jo kalle det, som vanligvis ikke varer så lenge, gudskjelov . . . Ta nå ikke dette så ille opp, da — det er ganske naturlig, ingenting å skamme seg over!

Nei, skamme seg over? Hva da? Hennes freidige visitt som jo kan ha vært en ren tilfeldighet, ja nettopp et tegn på at hun følte seg usjenert, trygg og sikker? Alt det en ungpike *ikke* føler når hun er forelsket? Eller en tur hos frisøren? En privattime i matematikk som var blitt kortet ned . . . ?

«*Glæde beruser*» hva er det å skamme seg over? En tilfeldig busstur tidlig en søndagsmorgen, ut av byen med sommerværet gjallende utenfor, ja gjallende: solskinn og vind over fjorden. Lyskast som trompetstøt inn gjennom rutene, og bare to andre passasjerer i flukt over riksveiens duvende kurver gjennom det bakkete landskapet. Friskt, flimrende grønnsvær rundt villaveggenes glade fargeflekker. Åsenes kontur mot en perlende himmel. En luft så klar at det synes som om hvert enkelt blad og hver barnål kan skjelnes på trærne der ute. Og hele tiden fjordflaten, blått i det hvite, hvitt i det blå, et vimrende lyshav punktert av et enkelt seil som sto med samme bør som vi ut mot Askers åser.

En eldre mann satt helt forrest i bussen, i søndagspuss, lys vårfrakk og hatt, værbitt nakke. En sammenbrettet avis i den brune hånden. Min andre medpassasjer var en ung mann, en gutt, først bare en manke av mørkt, krøllet hår over seteryggen, så skiftet han stilling og mer av fremtoningen kom til syne: en unggutt i tyveårene, heller liten av vekst, en uflidd, slengete fremtoning, halvprofilen han vendte mot meg ga meg et vekt, nesten feminint inntrykk. På føttene hadde han fillete turnsko og de var plantet skjødesløst provoserende mot seteryggen foran, noe som ga meg en følelse av at mine egne anstrengelser samme morgen for å få blankpusset mine etterhvert ganske medtatte sko, hadde vært dobbelt forgjeves.

Men hvorfor hefte seg ved slike ting? Været, naturen omkring, den behagelig jevne farten vi holdt ut av byen, gjorde meg vennlig innstilt mot alle, også mot mine to medpassasjerer, ga meg en følelse av en slags samhørighet med dem. Så da bussen stanset, og de begge reiste seg for å gå av, reiste jeg meg også, som om vi alle tre skulle ha vært i følge. Hvorfor ikke? Dette var da en dag da tilfeldighetene skulle få rå, sa jeg til meg selv og steg ut i en varm lukt av asfalt.

Ute i veikanten ble jeg et øyeblikk blendet av solen og mistet kontakten både med mannen og gutten. Da jeg igjen kunne orientere meg, så jeg at gamlingen hadde snudd opp til høyre og klatret den bratte gangstien mot noen rekkehus som lå ovenfor. Den unge gutten skrådde slentrende over hovedveien med kurs for en avkjøring som forsvant bratt ned en bakke. Jeg fulgte etter ham.

Han gikk ikke fort, jeg tok innpå. Jeg hadde trasket mange mil tilsammen de siste ukene, jeg var i god form. Jeg registrerte med en slags velvillig medlidenhet hans ujevne, jabbende ganglag. Nå satte han visst farten opp; skulle jeg ta ham igjen med en gang, eller vente . . . ? Når to menn går etter hverandre på en øde vei, blir det alltid et kappløp.

Veien gikk gjennom et lite tettsted, et kjøpesenter med

posthus og bank omgitt av villabebyggelse. Fra bussholde-plassen hadde jeg sett hvordan bebyggelsen avtok etter hvert som landskapet klemte seg opp i en åsrygg som skjøv en bratt, blågrønn kam av skog fremover, ut i en langstrakt halvøy. Yt-terst lå fjorden.

Min følgesvenn skrittet avgårde, jeg slentret etter. Jeg kun-ne godt la meg lede et stykke på vei på en dag som idag. Han var et ansikt med veke trekk, et hode med uklippet, lokkete hår som danset i solen. Ingenting kunne true meg på en slik dag, på ti-femten steg kunne jeg tatt ham igjen. Jeg nøt tu-ren. Jeg nøt denne uskyldige leken. Han svingte plutselig av, og tok ned en smalere, allélignende vei med hekker og hage-beplantninger på begge sider som åpnet seg her og der og ga lange gløtt innover grønne plener og ryddige gårdsplasser. Det lyste i nyraket singel. En kraftig vannspreder sendte sin dusj over gjerdet med likeglad regelmessighet. Han unngikk strålen, jeg fikk en sprut i den ene skoen: nå var det som om hans slentrende ganglag viste at han var godt kjent her og hør-te hjemme. Jeg var en fremmed. Søndagsformiddagsstillhe-ten var som et åndedrag som ble holdt inne ... Men solskin-net var ihvertfall det samme for meg som for ham der det danset i bladverk og grener, skapte synsbedrag i sitt skygge-spill over asfalten, lot seg kaste tilbake i blendende glimt fra en vegg, fra en hvitkalket mur, fra et veiskilt hengt opp på et hvitt stakitt ... Og jeg skulle så gjerne ha fortsatt å la meg blende, og satt den ene foten makelig foran den andre og sagt til meg selv at det var tilfeldigheter som hadde ført meg hit ut til dette temmede, prydbeplantede fjordlandskapet, Os-los vakreste omegn, denne første sommersøndagen. Men navnet på veien sto tydelig å lese på skiltet, og min turkame-rat lot til å sette farten enda mer opp, og jeg følte med ett at jeg ikke for noen pris måtte miste ham, samtidig som det var som om bena nektet å bære meg nedover Solstien. Solstien som var navnet på skiltet. Solstien 18 som var adressen Mack

32

hadde skrevet ned til meg utenpå konvolutten med pengene som jeg kjente knitre i innerlommen!

Snu! Nei, hvorfor det? Hvorfor skulle jeg ikke gå tur nett-opp her, på en herlig dag som i dag? Kjenne solen varme! Jeg måtte ta av meg jakken, slenge den over skulderen. Jeg brettet opp skjorteermene mens jeg gikk. Min følgesvenn passerte port nummer 12, garasjevegg nummer 14: hva om vi måtte passere Macks hus, nummer 18? Hva om de så ut og fikk øye på meg? Hva om Mack selv var ute og klippet plenen? Ja, så hadde jeg altså tatt meg en søndagstur hit ut, hvorfor ikke? Var det kanskje ikke nettopp slik det var? Hvem kunne påstå at jeg ble ridd av forelskelsens rastløse rytter? Men den unge gutten jeg fulgte etter, hvor skulle egentlig han? Nå passerte han nummer 16. Neste eiendom på venstre side måtte være 18. Så sluttet gatestumpen . . .

En hund løp ved siden av meg, innenfor et høyt gjerde. Den gjødde ikke, men fulgte mine bevegelser. Jeg svettet. Jeg hadde plutselig åndenød av anstrengelsen ved å holde føl-ge. Han svingte inn porten. Det som måtte være porten til nummer 18. Jeg bråstanset. Øyeblikkelig startet hunden å gjø. Det var det verste som kunne hende! Jeg begynte å gå igjen, jeg småløp for å komme unna det stygge beistet. Jeg nærmet meg porten til nummer 18, men hva som enn skjed-de, måtte jeg ikke bli sett og gjenkjent av noen der inne nå. Og stanset jeg, ville jeg straks bli angitt av kjøteren innenfor nabogjerdet. Jeg så oppkjørselen. Jeg så inngangsdøren. Jeg maktet ikke dra blikket fra ungguttskikkelsen som lente seg med en hånd til dørkarmen, nonchalant, som om han sto og støttet seg til en lyktestolpe, mens hun sto tett inntil ham, i døråpningen, og holdt om ham: to brune pikearmer rundt smalryggen hans, pannen hennes over skulderen hans — hun var like høy som ham — den fargede hårlokken var ikke til å ta feil av!

Jeg stupte fremover og i dekning, løsnet den ene skolissen,

bandt den igjen, løsnet den andre, bandt den, tok meg tid. Over meg glitret trekronene, lukten av nyslått plen var bedøvende. Mellom grenene i en glissen hekk så jeg henne legge en hånd bak nakken hans og trekke ham etter seg inn. Døren gled i. Tungt, majestetisk. Alle var borte. Jeg var reddet, alene på veien. Alene i skogen. Selv naboens hund hadde mistet interessen for meg. Sommersøndagen var bare min.

Veien endte i en parkeringsplass. En sti førte videre til en nedtrampet slette med hauger av flasker, plast og papiravfall under en ramponert søppelkasse og et ødelagt skilt: Et offentlig friareal klemt inn mellom de privilegerte strandtomtene. Svaberg kranset en smal, skitten strandstripe.

Jeg rev av meg den klamme skjorten. Jeg sparket skoene bortover. Jeg ville kjenne sjøbris på kroppen! Jeg ville kjenne ren, kjølig sand under fotsålene! Jeg måtte hengi meg helt til denne dagen, denne første, fantastiske sommerdagen som fikk alle andre ting, alle tilfeldigheter og små distraksjoner til å fremstå som det de var: uvesentligheter som snart ville være ført bort av selve sommerens pust! La brenningen i fjæra overdøve skogsuset. La vinden blåse bort skogrusen.

— Det var det! tenkte jeg der jeg løp.

— Det var det! Ferdig med det!

8

Jeg ryddet omkring meg, gjorde rent i hele leiligheten, vasket småvask i servanten på badet, så etter om det var en knapp her eller der som måtte syes i. Det er så mye man kan ta seg til. Jeg levde hytteboerens oversiktlige, velordnede tilværelse slik jeg ønsket å leve den. Slik jeg trivdes med den. Her inne kunne sinnsstemninger skifte uten at noen tok skade av det.

Alene i skogen — i byen sto jeg aldri i fare for å komme for nær andre mennesker, sette mitt merke på dem, eller bli merket av dem.

Jeg tok revolveren min frem fra gjemmestedet under madrassen. Den lå tungt i hånden og skinte blankt. Jeg tok den fra hverandre og undersøkte de ulike delene, pusset litt, blåste, satte den sammen igjen, så hvor vakker den var, veide den i hånden: Hva visste vel jeg om kvinners lyse lengsler?

Jeg hadde gjort mine runder i byen for å lete opp ting som kanskje ville interessere Mack. Jeg skulle absolutt holde min del av avtalen, ingen skulle få komme og si noe annet! Hos en skraphandler hadde jeg funnet en parafinlampe i messing med originalt lampeglass og vakkert svunget kuppel. Om ikke Mack brød seg om den, kunne jeg gjerne ta den selv. Etterat jeg hadde pusset den og fått satt ny veke i den var den blitt riktig fin der den sto på bokhyllen. Og om kvelden gir den et varmt, lunt lys som fyller rommet mitt akkurat nok til å holde på den siste lød som flyter inn av vinduet, skumringen som liksom nøler disse tidlige sommerkveldene da nattemørket ikke helt kan finne kraft til å fortære dagen, bare skyver den mot horisonten hvor en sollysstripe ulmer uavbrutt. Jeg føler mer enn noensinne hvordan mitt krypinn er omkranset av skog på alle kanter, dyp, tett, syngende skog som favner min endeløse ensomhet. Men hvem er ensom i skogen? Skogen har stemmer. Skogen har latter og smil, dyr, fugler, planter som taler sitt stumme språk som jegeren gjenkjenner. Nei, ensom i skogen? Jeg trives best slik . . .

Edvarda . . .

Og jeg må nesten le av meg selv her jeg sitter og kjenner et sting i brystet med en gang jeg hvisker et navn, navnet på en ung pike, en skolejente, ikke engang en utvokst ferdig kvinne. Hva er hun for meg? Hva kan et par korte samtaler ha satt igang? Et blikk, noen nølende, hverdagslige ord, signaler og tegn så subtile, så små og ubetydelige at de mest ligner ingenting, en kjede uvesentligheter som utallige andre som fletter seg inn i menneskers samvær. Hva angår det meg her i hytten?

Edvarda. Edvarda . . .

Nei, mainettene er ikke til å sove i. Jeg søker ut, ned til sentrumsstrøkene der natten er tettest, der gatenes puls slår tyngst og gjennomgangstrafikken drønner døgnet rundt, og asfaltmørket lokker deg inn i forvandlingenes verden hvor nattemenneskets ønsker får stemme og kropp og dine skamdrømmers skikkelser smelter ut av brostensskyggene med sine ouvertyrer:

— Hallo . . .

Hun snakket til meg. Det var meg hun snakket til.

— Godkveld.

Kanskje hadde jeg stirret på henne idet jeg gikk forbi. På håret hennes, vilt og krusete sto det om hodet på henne. Ja, jeg hadde sett på det. På henne. Jeg så på alle, på hår og øyne, lepper, halser og legger. Jeg talte skrittene deres og merket meg retningen de gikk og prøvde å regne meg frem til deres stevnemøter. Med hva slags menn? Jeg fantaserte. Dagens hete slo opp som en brunstig damp fra fortauet. Den smeltende asfalten lå som en ettergivende dyne under fotsålene. De hastet avsted, unge kvinner med oppspilte blikk. Unge menn. Par. Jeg fulgte dem med såre øyne og bannet innett over min ustyrlige lengsel. *«Glæde beruser»*. Jeg ravet omkring som en som er fra sans og samling, inntil hun snakket til meg:

— Leter du etter noe bestemt?

Hun var ung. Spinkel. En skolepike . . . Så dypt var jeg sunket inn i min egen fantasi at det tok noen øyeblikk før jeg helt oppfattet situasjonen. Jeg svarte vennlig:

— Ja noen. Men ingen bestemt . . .

— Skal vi gå da?

Da forsto jeg hvilken feil jeg var ved å begå:

36

— Nei! Nei ... det var ikke slik ment ...

Hun trakk på skudrene. Ansiktsovalen virket ekstra blek under det krusete røde håret:

— Samme for meg ...

Hun gikk noen skritt.

— Vent!

Hun stanset igjen og snudde seg halvt. Leggene hennes var tynne. Nakne føtter i røde, høyhælte sko.

— Har du ombestemt deg?

— Hva heter du?

— Spiller det noen rolle? Du kan kalle meg hva du vil. Den spisse munnen arbeider mykt, som om hun suget på uskyldens sukkertøy:

— Kommer du da? Du skjønner, det er ikke populært at jeg står her og kaster bort halve natta.

— Kjolen din er så tynn ... Fryser du?

— Liker du den?

— Jeg kan se hvor spinkel du er under tøyet.

— Derfor, da skjønner du. Smarten.

— Kom hit, la meg se på deg her i lyset!

— Lukk øynene, så tror du at jeg er henne. Og la oss holde oss unna det lyset. Kom nå da, endelig ...

— Det er så mye jeg ville ha sagt deg!

— Herregud, en pratmaker er du også!

— De røde skoene dine ...?

— Jeg liker røde sko, det er derfor jeg går med dem. De er på en måte varemerket mitt når jeg jobber, skjønner du? Hør her, taksametret går. Har du et sted?

— Jada, jada! Jeg har et sted. Men hva om jeg bare ba deg være litt hos meg, sitte hos meg en stund ...?

— Samme det, bare du kan betale ...

Plutselig er hun mistenksom:

— Du har vel penger?

Jeg kjenner Macks konvolutt knirke i lommen og smiler, ja

37

jeg må le:

Visst har jeg penger!

Gamle Mack. Denne seansen river han i på meg!

— Kom!

Hun tar meg i armen og drar meg nedover gaten. En varm, spinkel kropp tett ved min. Sikre, instinktive bevegelser. Som en hunds tause, trofaste nærhet. Det er alt jeg behøver i natt. Det er alt jeg kan klare: En hunds lunkne tunge på håndbaken.

9

Øre soldager fulgte. Bakerovnsheten jaget meg innendørs og jeg tilbrakte mye av tiden naken på sengen, halvsovende, med et fuktig håndkle over ansiktet.

En dag sto plutselig Mack i døren:

— Du holder deg godt ...

Han betraktet meg opp og ned mens jeg kjempet med en refleks til å gjemme meg under lakenet. Helt unødvendig. Vi var tilbake i rekruttidens påtvungne intimitet og jeg krympet meg.

— For et vær! Umulig å jobbe. Jeg skulle gjerne gjort som deg ...

Han satte seg tungt på sengekanten. Jeg lå der anspent og stiv som en jomfru og fryktet et øyeblikk at han virkelig ville slenge seg nedpå ved siden av meg. Men istedet snudde han hodet og så på meg som om han han endelig hadde fått tvunget meg opp i et hjørne:

— Du kommer på søndag?

— På søndag? Hva da ...?

— Å bare litt søndagskos i all stillhet. En snack på terrassen, et par gode venner ... Du kommer?

Det lød som noe midt imellom en utfordring og en befaling. Jeg tenkte på villaen som lå halvt gjemt inne i den store hagen, hvitmalt og bred med sin tunge inngangsdør. Jeg husket beplantningene, gårdsplassen, hellelagte gangstier, plenenes grønne plan, trærnes rislende skygger, den intense lukten av grønt ...

— Du må ikke si nei, gamle venn. Jeg gjør dette for Evas skyld også, forstår du. Hun er kommet i den farlige alderen, går der og kjeder seg. En liten sammenkomst vil kvikke henne opp. Jeg har jo fortalt henne en del om deg ...

Han betraktet meg uavbrutt mens han snakket, øynene hans løp over kroppen min, det var som han saumfor meg for å avgjøre hvilken verdi jeg kunne få som attraksjon i hans søndagssammenkomst.

— Vi kommer og henter deg, selvsagt. Eddie kommer. Hun har nettopp tatt sertifikat og er vill etter å kjøre ...

Så hun var fylt atten år ...

— Da sier vi det slik, hva?

Det var ingen måte å motsi ham på. Villaen lå halvt gjemt der inne i sitt duftende grønnsvær og lokket.

— Fint. Hun henter deg ved halv ett-tiden.

Nå da avtalen var gjort, var det som en stor spenning var utløst. Han begynte å snakke om løst og fast som om det var en hel del som lå ham på hjertet som han plutselig måtte få luftet for meg. Hans planer om et nytt agentur, gaveartikler produsert billig i den tredje verden. Generelle problemer som eldre bedrifter hadde fått å stri med stilt overfor utfordringene i et nytt og hardere forretningsklima. Og så båten, hans stolthet som han hadde anskaffet gjennom en liten 'vri' året før: «En kvart million spart, hahahaha!» Om været holdt, måtte vi ta en tur ut i fjorden på søndag ... Han hadde reist seg igjen og slo et slag over gulvet, åpnet og lukket barskapskatollet med eiermine. Jeg fikk en ubehagelig følelse av at

jeg burde ha ryddet her inne før han kom. For sent fikk jeg
øye på de røde, høyhælte skoene som lå halvveis skjøvet inn
under lenestolen. Han lot også blikket falle i den retningen:

— Ja, du var nå alltid en djevel med damene også, du,
Glahn, ropte han entusiastisk, som om han ga meg en stor
kompliment.

— Du må treffe Eva. Flott jente. Jeg har fortalt henne en
god del om deg, vet du ...

Han forsynte seg med en flaske øl fra mitt kjøleskap, skjen-
ket klosset i glasset og sølte skum nedover skjorten mens han
drakk, bannet, tørket av seg med hånden.

— Søndag! ropte han plutselig som om vi var tilbake på
moen og han sto og ga en kommando.

Så gikk han.

10

Hun kom klokken halv tolv og sa at hun hadde tatt feil av ti-
den, det vil si, hun hadde beregnet god tid i trafikken, men
så var det jo søndag formiddag og ingen trafikk ... Jeg sto
akkurat og barberte meg, og de skrå øynene hennes videt seg
ut et ørlite sekund da jeg sto der i døren med overkroppen bar
og ba henne komme innenfor og vente. Det skulle ikke ta
mange minutter.

— Det er blitt hyggeligere her, sa hun og strøk fingeren
over kuppelen på parafinlampen. Blusen hennes hadde svet-
teringer under armene. Vi hadde fått enda en varm dag. Jeg
tok meg all den tid jeg trengte med barberingen.

— Det var fint at du kunne komme, sa hun så.

Jeg tok på meg den hvite skjorten jeg hadde strøket.

— Mamma gleder seg også. Og pappa har ikke snakket om

40

annet de siste dagene enn dette selskapet.

Selskap. Han hadde kalt det å be et par venner over . . .
Dressen min ville bli varm på en dag som idag, men det var
den eneste dressen jeg hadde.

Så satt vi skulder ved skulder i den vesle bilen som hun ma-
nøvrerte litt usikkert.

— Det er mammas bil, forklarte hun meg mens hun bet
seg i leppen og stirret på veien. Han ga henne bil, men hun
får ikke lov til å ta sertifikat. Sånn er han . . . !

Jeg så også på veien for ikke å gjøre henne nervøs, men jeg
merket at hun kastet blikk i min retning, kjørte et stykke og
gløttet igjen:

— Gjør du virkelig ingenting . . .? Går du bare omkring
og er . . . fri?

Hun var intenst opptatt av kjøringen.

— Jeg vet nå ikke om du kan si det slik . . .

— Men du har ingen jobb. Du gjør det du vil.

— Bare til jeg finner meg noe å gjøre igjen . . .

— Men du velger selv . . .

— Hør her . . . Hennes interesse torpederer min ro. Jeg
husker de sterke, brune armene hennes rundt kjærestens nak-
ke. Det er en uke siden, Edvarda, en uke idag, og jeg har ikke
sovet rolig en natt denne uken. Jeg har gått gatelangs og
skyldt på alle andre ting, fordi jeg så armene dine om halsen
hans!

Nå måtte jeg korrigere, irettesette, gjenvinne balansen:

— Jeg har faktisk hatt arbeid, mange slags arbeid også. Jeg
har vært vanlig bankmann, anleggsarbeider, hotellportier, til
og med dykker.

— Dykker . . . Hun gjentok det, drømmende, og stem-
men fløt i et varmt, blått hav, dypt under solhinnen.

— Jeg har reist en god del . . .

— Reist . . . Den samme fortapte gjentagelsen. Når du sier
«reist» så lyder det som en reise som aldri slutter. Ikke noen

41

to ukers ferietur til Syden. Og så er du løytnant . . .

— Ikke nå lenger. Nå er jeg sivilist.

— Men det høres så stilig ut: «Løytnant». Det er som å være på ball. Jeg skulle gjerne sett deg i uniform.

Og jeg skulle gjerne vist meg for henne i uniform.

— Jeg liker dressen din, sier hun så. Den er dritstilig, sånn som ingen går med lenger. Du ligner en engelskmann i den, en Lord . . .

Jeg kjenner hånden hennes stryke tweedstoffet i jakken, så er den på plass på rattet igjen. Fingrene har nedbitte negler, håret hennes er også idag kjemmet bakover med stiv lakk, men frisyren virker ikke så provoserende outrert som sist.

— Vet du, jeg kjenner bare guttunger, sier hun med et sukk.

Jeg kjenner svetten og deodoranten hennes hver gang jeg trekker pusten.

— Bare guttunger. Du aner ikke hvor lei jeg kan bli av guttunger . . .! Kan du stupe?

Hun lar hvert spørsmål bli fulgt av en liten ekstra manøver med rattet, som om hun vil skyve ordene vekk rett etter at de er uttalt.

— Nei, jeg har ikke drevet særlig med stuping . . .

— Å jo, jeg tror du må være flink til å stupe! Jeg kan se deg fly gjennom luften . . .! Ha ha ha! Du må da tro jeg er helt sprø, Glahn! Nå ser hun rett på meg og jeg må møte det blanke blikket hvor en desperat freidighet glanser over sjenansen og nølingens dype skygger:

— Glahn, jeg kunne kysse deg for den dressen! Ja, det vil jeg. Jeg gjør det! Det er det jeg vil gjøre! Så derfor gjør jeg det!

Hun trår på bremsen og vrir bilen ut av kjørebanen så brått at den skrenser og stanser bare centimeter fra autovernet. Så snur hun seg, legger armene sine om halsen min, kinnet sitt inntil mitt og klemmer til så det er som hun ønsker at ansiktet mitt skulle smelte sammen med hennes. Og kysser meg, en,

to, tre, flere ganger på munnen, med hardt sammenknepne
øyelokk, og grådig, varm, veltende tunge.

11

Tre-fire par sto allerede oppmarsjert i ledige positurer på
Macks terrasse. Han selv var aktiv ved et trillebord med man-
ge flasker, glass og en stor punsjebolle fylt med noe rødt.

— Sangria! ropte han og veivet med en øse. Spanias spra-
kende sol! Kom igjen! Værsågod!

De leende menneskene på terrassen var kledd i lyse, lette
plagg. Jeg følte meg varm og svett etter bilturen. Edvarda var
forsvunnet for meg inn i huset. Det var så lenge siden jeg had-
de vært i selskap med mange mennesker at jeg nølte, visste
ikke hvordan jeg skulle te meg. Men den glade, lette stem-
ningen der oppe ga meg mot til å gå frem og slutte meg til
dem. Det banket sterkt i brystet mitt. Jeg måtte alt i ett fare
med tungen over leppene som for å gjenoppvekke smaken av
Edvardas kyss.

— Der er du jo! ropte min vert. På høy tid! Velkommen!
Velkommen! Kom herover og få deg et glass vin i varmen!
Folkens, dette er min gamle venn og våpendrager løytnant
Thomas Glahn!

Plutselig var jeg midtpunkt. Jeg trykket hender, smilte,
hilste. De flokket seg om meg. Jeg måtte skåle hit og dit. Den
søte blandingen var leskende og god. Jeg konverserte lett og
flytende mens jeg med øynene søkte rundt etter Edvarda. Jeg
ville gjerne at hun skulle se meg nå, i sentrum for gjestenes
interesse. Og hvilken positiv og vennlig oppmerksomhet!
Hvilken deilig dag! Hva kunne Mack ha sagt om meg som
kunne ha gjort dem så interesserte? Samtalen dem imellom

43

fløt lett og skjødesløst, når de henvendte seg til meg, kom det noe formelt inn i tonen som virket litt tvungent, som om noe i mitt vesen eller min fremtoning påvirket dem på en særlig måte. Men det sjenerte meg ikke.

— Carl sier De samler vakre ting . . .?

— At De er ekspert på våpen . . .?

— En mesterskytter . . .?

— Har De virkelig lagt alt bak Dem og startet helt på nytt her inne i hovedstaden . . .?

— Carl kaller Dem en lykkejeger . . .?

— En ekte romantiker . . .?

— En kunstnernatur . . .?

Jeg kunne ikke svare alle sammen på en gang. Jeg hevet glasset mitt og drakk den søte vin- og sodablandingen. Jeg så at hun var kommet ut og satt på rekkverket med hodet bortsnudd.

— Jeg skulle faktisk gjerne gjort det samme selv, brutt opp, forsøkt meg på noe nytt, nye utfordringer . . .

En fast sympatiserende mannsstemme. Et regelmessig ansikt, solbrunt, nesten uten linjer, uten bekymringer eller beklagelse.

— Om to år er jeg førti. Skal det skje, må det skje nå. Når jeg treffer en mann som Dem, går det opp for meg at livet lett kan bli en eneste rutine, et fastlagt mønster som en til slutt ikke greier å trå ut av . . .

Jeg følte bifallet fra de andre ved denne observasjonen. Deres oppmerksomhet gjorde meg ør. Alle stemmene som snakket til meg fikk meg til å føle meg som en elv som svulmet opp i vårflommen, sterk, stri, respektinngytende. Kvinnenes øyne på meg. Jeg kunne ikke lenger avgjøre om det var meg de snakket til, eller om de bare nevnte mitt navn i sine siste samtaler seg imellom:

— Glahn. Det lyder som et navn fra en roman . . .

— En mann som bare dukker opp ingensteds fra og kaller

44

seg «jeger» . . .

— Lever fra hånd til munn fordi han har valgt det slik . . .

— Mack sier han fant ham i rennestenen så å si . . .

— Når De sier De liker å leve i «skogen», hva mener De egentlig da? De bor jo i byen?

— Kan du si meg hvor gammel han er? Det er umulig å avgjøre . . . Se på ham . . .

— Kropp som på en ungdom . . .

— Men øynene. Har du sett øynene? Blikket . . .?

— I stand til hva som helst, spør du meg . . .

— Har De egentlig noen utdannelse utover krigsskolen?

— Når De sier De går på jakt, er jeg sikker på at det er kjærligheten De mener. En mann som Dem jakter alltid på kjærligheten først og fremst. Det ligger i Deres natur. Det merker man helt tydelig . . . En liten, lubben kvinne hang fast ved armen til den sympatiske mannen som om hun ventet å bli fanget av et dragsug. En annen stemme hvisket:

— For en mann . . .!

For en dag! For en lykkelig time! Jeg ville fortelle dem alle hvordan jeg opplevde denne stunden, å plutselig stå her i helfigur i brennpunktet for kvinnenes blikk, med mennenes anerkjennelse trygt i ryggen. Hele situasjonen som et eneste stort antent *nu*. Jeg visste at det var slik jeg ville leve, i dette nuet. En kort stund som gjest i deres varme, en uanmeldt deltager i deres samvær. Dukke opp ingensteds fra og slå dem alle med beundring, forbløffelse, befriende latter. Blende dem med mitt sterke lys. Ryste dem med min styrke, min ubundethet og min uberegnelighet. Før jeg forsvant inn i skogen igjen og ble usynlig for deres verden. En flamme som luet opp, flakket og døde omkring deres ønsker og håp. Min nærhet skulle være uimotståelig og provoserende, intim og samtidig uangripelig fjern. Dette skjønte jeg nå der jeg sto på Macks terrasse og kjente lukten av plengrønt kile i nesen, grepet av skogsrusen her i Macks store hage. Jeg så flere mennes-

45

ker komme til selskapet oppover gangstien leende, liksom lekende ut og inn mellom striper av sollys og skygge. Jeg ville løpe mot dem og le og leke med dem. Jeg følte en høy, oppstemt samhørighet med dem alle sammen. Men mest med Edvarda som hele tiden holdt seg et stykke unna, som om hun ikke visste hvor mye hun torde nærme seg, hvis grådige kyss jeg ennå kjente på leppene, noe som gjorde meg overstrømmende lykkelig, men også forlegen her blant alle menneskene, og plutselig fikk meg til å ønske jeg var alene et sted under trærne, helt uforstyrret, voktende over min skatt.

Hun satt på rekkverket og stirret adspredt nedover oppkjørselsen. Det fikk så være, jeg sto jo midt i en flokk med tilhørere. Men jeg fant ikke flere ord i farten, så jeg hevet glasset mitt for å skåle med dem alle sammen for denne dagen, for denne festen, men støtte borti en skulder og den røde vinen skvalpet utover den nærmeste hvite skjorten, satte dype flekker på et par lyse sommerslacks.

— Men så se Dem litt for, da, mann!

Den iskalde formaliteten i stemmen hans hadde meg allerede på kne mens jeg i famlende beklagelse fant frem et lommetørkle og prøvde å tørke flekkene bort. Til ingen nytte.

— Så da, det gjør ingenting! sa hun, den lubne, utålmodig. Det ordner jeg senere ... Hennes ektemanns smil var mindre overbevist der han sto og forsøkte å tørke bort den klisne væsken som rant nedover skjorteermet. Han avslo mitt rene lommetørkle. Interessen i gruppen begynte å flakke.

— Jeg beklager ... For et tåpelig uhell ... Så uforsiktig av meg ... Jeg kunne knapt uttrykke min beklagelse, så bunnløst beskjemmet følte jeg meg. Som for å understreke oppriktigheten i mine bønner, grep jeg henne hardt i armen, men i øynene hennes skinte ikke lenger en glans av hemmelige tårer:

— De er visst riktig en villmann, De, løytnant Glahn ...

Gruppen oppløste seg, folk snakket igjen sammen to og to.

En fin ring av svetteperler lå over leppen på kvinnen jeg ennå sto og holdt tak i. Jeg slapp armen hennes som om jeg plutselig hadde brent meg, mumlet enda en unnskyldning og snudde meg bort.

Edvarda hadde forlatt sin uinteresserte plass og kom rett mot meg. Idet hun passerte meg, hvisket hun:

— At du orker å stå slik og gjøre deg til for de menneskene!

Så trippet hun raskt ned de få trappetrinnene mot oppkjørselen hvor en bil nettopp var stanset. Den unge, krøllhårete gutten jeg hadde sett her ute forrige søndag steg ut. To-tre andre ungdommer kom også til syne med rop og latter. De omfavnet hverandre på moderne ungdommers vis. Jeg snudde meg og fant meg alene på den store terrassen. Gruppen hadde flokket seg om Mack og en lyshåret kvinne som sto i verandadøren og skjermet øynene for solrefleks fra de lyse hellene.

— Hei, Glahn!

Mack ropte og vinket. Han ville presentere meg for sin kone Eva som jeg kjente igjen fra fotografiet, da jeg nærmet meg. En vakker kvinne med sky, nesten unnselig manér.

— Hun gjemmer seg bort på kjøkkenet, forklarte Mack med et bredt, anstrengt smil mot sin kones svale profil.

— Jeg leier kjøkkenhjelp i dyre dommer, og hun insisterer på å gjøre alt arbeidet selv . . . !

— Han vil ikke la meg gjøre noen ting. Det er hans måte å straffe meg på, å gjøre meg til sin slave . . .

Hun ventet med å rekke hånden frem, mens hun studerte ansiktet mitt. Mack lo så hele den tykke kroppen hans ristet:

— Slave . . . ! Straff . . . ?! Hahaha! Nei, kan du forstå deg på disse kvinnfolka, Glahn? De har jaggu sin særegne form for humor . . . ! Hun enset ham ikke. Hun sa:

— Hyggelig å møte deg, Thomas Glahn. Han har fortalt masse om deg, men du er helt annerledes enn jeg hadde forestilt meg at du måtte være . . .

47

Håndtrykket hennes var fort og lett, og Macks buldrende latter overdøvet mitt mumlende svar.

12

Jeg blir trett av å skrive. Jeg blir fort trett av det meste jeg foretar meg. Jeg skriver om heten som rammet oss disse første sommerdagene for mer enn to år siden. Varmen som slo ut fra alle husvegger, oste fra asfalten, åndet fra portrom og smug som fra åpne ovnsdører . . . Varmen og den intense lukten av grønt i Macks hage. Oss tre på terrassen, Mack, Eva og jeg. Hun med sitt sky, unnselige smil, sitt svale håndtrykk som om hun sto på sprang bort fra oss, inn i sin egen verden. Edvarda som tar imot sine venner under latter og hyl. Den tykkfalne, krøllhårete gutten som jeg forstår er privatlæreren. Armene hennes om halsen hans. Evas nedslåtte blikk, og Macks støyende latter . . .

Når jeg ikke orker å skrive mer, legger jeg meg fremover bordet på armene for å hvile. Septembers svale, hutrende solskinn faller skrått over bordplaten. Jeg lar det fingre med ansiktet mitt, fremkalle bloddansen under øyelokkene. Og jeg står igjen midt i den tidlige sommerens frodighet, naturens frodighet, kroppenes og følelsenes frodighet som det ikke finnes beskyttelse mot. Jeg står igjen i min tykke tweed-dress av engelsk merke og snitt, på Macks terrasse og kjenner hans kraftige grep om skulderen, og hennes lette, sjenerte håndtrykk. Fornemmer Edvardas overfladiske skvalder med vennene sine i bakgrunnen, og de andre gjestenes likegyldighet. Jeg føler meg prisgitt og hjelpeløs mens Mack gransker ansiktet mitt som om han ventet at møtet med Eva skulle ha fremkalt en eller annen slags reaksjon. Smilet hans graver dype fu-

rer i det svette ansiktet, og den kortermede skjorten med et
kryptisk firmamerke på lommen har våte flekker. Men armen
han har lagt om skulderen min i et kraftig, kameratslig grep,
skjelver som under en indre iskulde. Og stemmen hans roper
og roper som om det gjaldt å overdøve en indre røst som had-
de alt annet på hjertet der han fanger sin kones spinkle skik-
kelse med den andre hånden, og klemmer oss begge inn mot
den tunge, dampende kroppen sin:
— Thomas! Eva! Så godt å se dere her alle sammen! Kjære
venner! Nå skal det snart bli noe å spise . . . !
Oss tre i en merkelig, hardhendt omfavnelse der på terras-
sen, midt på formiddagen, midt iblant deres venner. Og Evas
ansikt svakt smilende som om opptrinnet egentlig ikke angår
henne. Smilende, men bare delvis ettergivende der hun søker
seg bort med blikket.
Jeg kommer på noe jeg ikke har nevnt. En hendelse, en ba-
gatell som kanskje like gjerne burde vært glemt, om det ikke
hadde vært for Pans arm så forførende om den vakre ynglin-
gens skuldre, og heten jeg fremmaner her i dette rommet som
snart mister solen. Evas unge ansikt på et gammelt fotografi:
Lørdag ettermiddag i forlegningen. Lavt solskinn i brakke-
veggene, Setesdalens forvridde furulegger fyller den varme
luften med osen av harpiks. Få mennesker. Døsighet. Jeg har
et ærend inne hos Mack. Jeg vil låne penger av ham. Han lig-
ger på køya og studerer et fotografi. Her innendørs, i den uut-
luftede brakka er det forferdelig varmt. Mack har tatt av seg
klærne og ligger i shorts, ikke nok med det: han har trukket
ned shortsen og ligger der og viser frem en kongelig ereksjon.
Han kikker så vidt i min retning når jeg kommer inn, smiler
innadvendt, strekker ut hånden med fotografiet:
— Se på dette, Glahn. Er hun ikke vakker? Har du i hele
ditt liv sett noe så vakkert?
Jeg kikker lydig, jeg har sett bildet før, mange ganger. Hun
er virkelig vakker, en eplefrisk, innbydende ungpike med

oppsatt hår og et unnselig smil.

— Og jeg får gjøre alt mulig med henne ...

Jeg vet det, jeg vet det. Mack er ikke den som holder på sine intimeste hemmeligheter. Og jeg vet også at den fine familien hans ikke er så begeistret for forholdet på grunn av hennes beskjedne bakgrunn. Skal han fortelle meg alt dette enda en gang?

Da ber han meg plutselig stryke den for ham:

— Bare littegrann ...! ber han med halvlukte øyne, bare såvidt, så han kan innbille seg det er henne ... Og i det samme han spør, vet jeg at jeg vil adlyde. Jeg vil gjøre det: jeg vil stryke hans penis. Ennå med bildet av Eva i hånden, setter jeg meg på køyekanten. Jeg har vakttjeneste og er i uniform. Det er ulidelig varmt, og jeg stryker ham. Stillheten fyller rommet. Det er ikke motvilje eller skamfølelse som får magen min til å trekke seg sammen og halsen min til å brenne. Det er ikke krenkelse som fyller øynene mine med tårer. Ingen hevnende lynild slår ned fra det høye og gjør meg til aske. Det er ingenting truende ved en manns penis. Det er tvert imot noe fortrolig, den ligner min egen. Jeg stryker ham uten nervøsitet eller koketteri. Jeg har gjort dette før, flere ganger. Det er en lek alle guttunger leker. Jeg ser på det blide, uskyldige ansiktet på fotografiet, smilet som gjemmer alle min kamerats drømmer. Jeg kjenner den danse ... Så ber han meg plutselig holde den hardt, og i samme øyeblikk stemmer han hælene i madrassen og lar det gå med et dypt stønn som fra en kanon.

Etterpå betror han meg at han skal dimittere og reise hjem for å gifte seg. Hans forlovede er blitt gravid. Hans far har forbindelser som har ordnet med utsettelse av resten av tjenesten. Han har tatt tilbake bildet og stirrer på det som om han var forhekset. Jeg sitter og kjenner på avtrykket av hans penis i hånden min, så velkjent og samtidig fremmed fordi det er etter ham. Jeg ser at han også har tårer i øynene når han sier:

50

— Og skytingen da, Glahn. Hvordan skal det gå med skytingen nå . . .? Og legger underarmen over ansiktet.

Han skal hjem og gifte seg med en pike han er helt besatt av. Og han ville aldri kunnet bli annet enn en middelmådig pistolskytter . . .

Jeg sitter ofte og ser på satyren og ynglingen: Hvorfor skjer det en mann at han alltid på en eller annen måte blir involvert med sin venns venninne? Hvordan skjer det? Når skjer det? Og etter hvilken vilje? Og når trår vi over den fine terskelen fra å være medsammensvorne og eie kvinnene sammen, til å bli rivaler?

13

Vi hadde spist, solen stekte og selskapet slappet av i liggestoler. Edvarda og vennene hennes hadde kledd av seg og lå helt nede ved stranden på stripete solmadrasser. Mack hadde ført meg bort fra terrassen for å «ta en runde og vise meg herligheten» som han uttrykte det. Vi befant oss på baksiden av huset hvor tomten var bratt og knauset, noe en dyktig anleggsgartner hadde utnyttet til å plante en frodig fjellhage hvor det gikk trapper og stier lagt opp av vakre naturheller.

— Den gangen var eiendommer her ute til salgs for en slikk, selv med strand. Folk syntes det var for langt fra byen. Men nå . . .

Han svettet av pur tilfredshet. Armbevegelsen hans indikerte den store gevinsten som tilfalt ham selv og alle som hadde vært smarte nok til å kjøpe da han kjøpte.

— Så bygde vi på litt . . .

I sentrum av den imponerende villakonstruksjonen kunne man skimte den opprinnelige bygningen som hadde vært i

51

gammel skipperstil.

— Og der nede står båtnaustet som det har stått i hundre år. Vi fikset det litt opp innvendig, men beholdt så mye som mulig av det opprinnelige, bygde hems, innredet et par soveplasser, en kjøkkenkrok, riktig et koselig krypinn er det blitt. Vi kaller det 'Lysthuset' . . .

Jeg fløt viljeløst med i villahagens tunge velvære. To lønnetrær rammet inn utsikten ned til vannet. Ett sto der knausen som dannet fjellhagen skrådde ut i et flatt lite svaberg og forsvant under gresset. Det andre vokste i vinkelen mellom terrassen og husveggen.

Vi sto i skyggen og så ut over plenen, bedene, buskene og det lille engstykket bakenfor som strakte seg helt ned til strandkanten, hvor ungdommene lå og moret seg med hverandre. La dem åle og vri sine hvite kropper! La dem leke og le! Lønnenes krone av honningblomster pustet sukker. Luften surret av bier. Med den søte vinen trykkende behagelig bak øyeeplene og den lette lunsjen i magen ønsket jeg bare at dette øyeblikket skulle vare, la meg forbli i den svale skyggen i denne deilige hagen hvor alt åndet mot meg av velstand og trygghet! Men pikenes latter der nede rev roen i stykker, og Macks hustrus skikkelse hastet plutselig over terrassen med glass på et brett. Og Mack hadde grepet meg hardt i armen og snakket til meg med en stemme som var helt forandret nå, lav, inntrengende, nesten bedende:

— Hun liker seg ikke her ute, Glahn. Hun sier hun føler seg utenfor, isolert, hun passer ikke inn. Hun gir meg et helvete . . . Han sto med ryggen til den strålende hageselskapsscenen. Over skulderen hans så jeg en av pikene, var det Edvarda? Hun hadde reist seg og oppførte en dans for de andre tre under latter og skrik.

— Vet du, jeg lurer på om det likevel ikke hadde vært det beste å leve som du lever, kvitte seg med alt det en ikke absolutt trenger, leve mer *egentlig* . . .! Skjønner du? Faen, av og til skulle jeg ønske jeg var mer som du ...!

For et øyeblikk siden hadde jeg stått der og nesten ønsket meg i hans sted. Nå skar ungdommens skrål gjennom idyllen, Eva løp rundt på terrassen og ryddet som en annen hushjelp og Mack tviholdt armen min som om han ønsket det skulle oppstå et forbund mellom oss, en sammensvergelse, et hemmelig brorskap. Jeg svettet i klærne selv her i skyggen. Hvor jeg plutselig ønsket meg bort!

— Vis meg båthuset, ba jeg og tok noen skritt. Ut i solskinnet. Varmen klebet straks skjorten til kroppen. Den tunge jakken hadde jeg tatt av og slepte den etter meg som et dødt dyr.

— Ja visst! Selvsagt ...!

Macks hånd hvilte ennå på armen min som om han var ute av stand til å bryte kontakten. Styrken i grepet hans var som en oppsamlet beklagelse som stammet fra den gangen for lenge siden, den lørdagsettermiddagen på brakka da jeg hadde sluppet taket i ham og latt ham ligge der med sine gifteplaner og sine tårer. Nå snudde vi utenom terrassen hvor Eva gikk frem og tilbake og ryddet mens gjestene lå henslengt omkring henne, urørlige som lik. Jeg følte med henne. Hun hørte heller ikke hjemme i dette selskapet. Når hun gikk inn gjennom terrassedøren med hendene fulle av fat og tallerkner, var det som om hun løp i skjul. Mack så ikke i hennes retning. Vi fortsatte over plenen. Der nede lå Edvarda og vennene hennes. De så ut til å være opptatt av å lese og enset ikke at vi kom imot dem.

Jeg skjelnet en stemme. Det var hans, studentens, matematikklærerens, høy og selvtilfreds, ubluferdig: «... Noe typisk romantisk sprøyt om en gærning som stadig forelsker seg i damer han ikke kan få, og så ender med å ta livet av seg, selvsagt, slik alle typiske romantikere måtte gjøre ...» Og hun i leende protest, det må ha vært noe hun leste som han kommenterte: «... Men det er da vakkert, Marius, så følsomt

53

skrevet … . Jeg blir helt betatt av typen, jeg …» Og han, arrogant, insisterende: «Hva i all verden er det som er så vakkert i å dyrke forelskelser og følelsesrus? Sykt er det! Ren patologi! Men dere jenter synes det er søtt og stemningsfullt. Dere tiltrekkes som fluer av nevrotikere og autister. Jo flere nevroser, jo mer indre liv! Jo verre forknytthet, jo dypere sjel …» De lo alle begeistret og kalte ham en kyniker. «Kyniker nei, realist! Jeg har nemlig lest litt om disse tingene …»

Mitt instinkt sa meg at jeg burde snu, komme unna, legge så stor avstand som mulig mellom oss, dem og meg, henne og meg. Men det lot seg jo ikke gjøre. Solskinnet hindret meg i å se klart, men jeg så den fargeglade stripen av strandmadrasser hvor de lå. Varmen hadde brent bort hver eneste tanke uten denne: hvordan nå frem til henne igjen? Så jeg stanset ikke, jeg tok ikke flukten, jeg satte den ene foten foran den andre mens jeg kjente hvordan svettedråpene trillet nedover kroppen min under den flekkete skjorten, nærmet meg, nærmet meg …

— Hei, ropte jeg da jeg var kommet nær nok. Hvordan er vannet? Sololjeflaskene stanset sin gang fra hånd til hånd. Pikene snudde seg over på magen.

— Har noen av dere badet …?

Det var som de måtte tenke seg ekstra godt om for å finne et svar på mitt enkle spørsmål.

— Nei-i … Ikke ennå …

— Vi ligger og venter på tøffingen som hopper først uti …! Det var studenten. Stinget var merkbart, fnisingen ikke til å overhøre. Edvardas blanke ansikt. Edvardas muntre skrå blikk. Edvardas latter. Armen hennes over smalryggen på sidekameraten, som det skulle så være! Hun som hadde kysset meg sultent og vått i bilen for bare et par timer siden, lagt seg tungt over meg i setet og fylt sansene mine med kyss som smakte varmt støv og kunstlær og deodorant. For to timer siden! Nå kjente jeg henne ikke igjen.

— Kom, la oss heller ta en titt på Lysthuset! Mack hadde grepet tak i armen min igjen som om han ville styre meg unna et minefelt:

— Ikke et fornuftig ord å få ut av den generasjonen der.

— Ta et stup, Glahn! Det var Edvardas stemme. Vet dere, han er mesterstuper. Han har fortalt meg det selv . . .!

— Bare følg med, ropte jeg tilbake, over skulderen, som i raseri, men muntert, muntert. Hun skulle få se. De skulle alle få se!

— Se her har vi laget en inngang fra baksiden, forklarte Mack. Trappen går opp til hemsen. Den snekret jeg faktisk selv, bommet litt på det øverste trinnet, men skitt . . . Godt å ha litt å henge fingrene i!

Han merket at jeg ikke hørte på ham.

— Hvor dypt er det her? spurte jeg. Det var bryggen og vannet som lokket.

— Vet sannerlig ikke, temmelig dypt, tenker jeg. De forrige eierne hadde skøyte . . .

Jeg følte øynene deres. Jeg følte varmen og klærnes tyngde som et utålelig stengsel rundt kroppen. Vannet klukket innbydende. Naustet var rødmalt med hvite lister og vindskier. Ved vindusveggen vokste en stor syrin. Det luktet trevegg og gammel tjære blandet med den tunge eimen fra syrinens visnende blomsterklaser. Sommeren gikk mot sitt høyeste. Fra sjøsiden gikk det en stige helt opp til båthusets møne hvor en kraftig bjelke sto vannrett ut, som sannsynligvis hadde vært feste for taljeverk den gang i andre tider da det var godsfrakt med båt langs kysten. Hun ville se meg fly gjennom luften. Hun skulle se meg fly gjennom luften!

Jeg kneppet opp skjorten og sparket skoene av, dro opp beltet, lot buksene falle, jeg hadde ingen badebukse, men det kunne ikke stanse meg nå . . .

— Fra gluggen der oppe har du en fin-fin utsikt . . ., fortalte Mack som ennå var opptatt av å få vist meg all sin herlighet.

55

Jeg dro underbuksen av meg og skrittet avmålt mot stigen: Farvel søndagsidyll! Farvel dannet helgesamvær med pene mennesker! Måtte trinnene bare holde! De holdt to-tre prøvende steg, så sluttet jeg å tenke og bare klatret, nei løp som en apekatt videre oppover til jeg sto på mønet og balanserte, med en vidunderlig utsikt over min gamle venn Macks store eiendom, og naboeiendommene, husenes skinnende takflater, hagene, knausene, trærne, svabergene og fjorden. Det lille terrasserektanglet med plenflekken hvor ansiktene nå gapte tomt mot meg. Hva så? Hva angikk det meg hva de tenkte? Den var likevel over, visitten min her i veltilfredsheten. Jeg regnet ut at et stup fra enden av den utspringende bjelken ville gi meg god klaring ut over bryggekanten. Stigen hadde holdt. Ville bjelken holde? Spørsmålet meldte seg et sted i hodet, men en slik liten tvil kunne ikke forandre alt dette som nå var i gang. Jeg satte foten frem og tok et skritt utover. Mack ropte noe der nede. Jeg festet blikket på båten hans, den hvite cabincruiseren han var så stolt av, der den lå vel fortøyd til sin røde bøye og duppet så høy og bred. To raske steg utover: jeg kjente redselens kvalme i mellomgulvet, kjente svimmelheten, balansen som nesten sviktet. Så satset jeg all min kraft på høyrebenet og kastet meg hodestups ut i tomrommet. Under meg åpnet det dype vannet et svimlende sug i grønt og blått som fortapte seg ned i det svarte. Jeg følte det mer enn jeg så det i dette forrykte sekundet av angst da jeg falt. Et bunnløst fall som et løfte om å få sveve nedover i det uendelige, gli motstandsløs fra det ene elementet til det andre, få forsvinne, bli oppsugd, bli intet. Bli glemt. Som om jeg aldri skulle ha satt mine ben her ute blant disse menneskene, i denne herlige hagen hvis dufter, hvis adspredelser, komfort og forførende symmetrier og asymmetrier for et øyeblikk hadde fått meg i ubalanse slik at jeg nesten glemte meg og trodde jeg hørte til.

14

Jeg hadde bestemt meg til å gjøre opp med Mack så fort som mulig. Komme meg ut av hans leilighet. Ut av enhver avhengighet. Jeg hadde tenkt over saken og kommet til at en fortsatt kontakt med ham og familien hans var umulig etter blamasjen i hageselskapet som jeg riktignok ikke var villig til å ta på meg all skyld for alene; jeg hadde så visst ikke trengt meg på dem, tvert imot! Det hadde vært en feiltagelse av ham å invitere meg ut. Egentlig hadde jeg slett ikke ønsket å komme, og da jeg likevel lot meg overtale, måtte det jo gå galt, uvant som jeg var med selskapelighet. Vel og bra! Så kom da endelig dette unaturlige vennskapet til en ende. Ingen flere ydmykende invitasjoner og bindende arrangementer. Slutt på å bli utsatt for innfallene til en frekk og ustadig jentunge!

Jeg planla min dag og gjorde mine runder i byen på jakt etter gjenstander som kunne gjøre meg økonomisk kvitt med Mack. Det var dette som var viktig nå. Det tok all min tid. Når jeg kom hjem, kastet jeg meg dødstrett på sengen og tenkte: «Det var det», og ba en bønn om å få sove . . .

Men om sommeren tørker også auksjonslokalenes og antikvariatenes tilsig ut. Det var vanskelig å finne noe som kunne tilfredsstille en kresen kjøper. Og jeg trengte intet mindre enn et funn, et virkelig varp. Etter som dagene gikk og jeg skjønte at noe funn ville det bli vanskelig, for ikke å si umulig å komme over, så jeg ingen vei utenom en meget vanskelig beslutning: Jeg fant revolveren frem fra gjemmestedet under madrassen. Min egen Smith & Wesson 38 Combat, et prakteksemplar i stainless-utførelse. Det var den eneste verdigjenstanden jeg eide, og den måtte jeg selge ham. Jeg bestemte meg til å si at jeg hadde kommet over den hos en skraphandler, en heler av beskjedent format, som hadde tilbudt meg den for en latterlig lav pris, fordi det var tyvegods og fordi han var redd for å sitte med den.

Som jeg hadde tenkt, ble Mack i fyr og flamme da jeg viste ham revolveren. Han kunne ha skaffet seg det samme våpenet på ordinært vis, gjennom en amerikansk katalog, forutsatt at han var medlem av en pistolklubb og hadde bæretillatelse, men det lille anstrøket av noe ulovlig som han trodde heftet ved transaksjonen, hisset ham opp:

— Praktfullt! ropte han. Helt praktfullt, Glahn! vi må prøve den. Nå med en gang! Bli med utover . . . !

Hans entusiasme slo igjen brodden av mine innvendinger. Han så ikke ut til å ofre søndagens hendelser en tanke, skulle så jeg . . . ?

Han hadde rigget opp en bane nede bak båthuset hvor han øvde seg.

— Det beste jeg har skutt er 383 på førti stående, her på 25 meter, sa han da vi tok oppstilling.

— Hvorfor lyver du? tenkte jeg. Han hadde aldri vært god for mer enn 335-340 selv i den tiden han trente hardt for å komme med på det militære skytterlaget.

— For et våpen!

Han sto igjen og beundret sin nyervervelse, lot det blanke løpet gli ut og inn av det vakkert forarbeidede hylstret av mørkt lær. Vi hadde stilt opp skivene, han hadde ladd, men skjøt ikke.

— Et slikt våpen . . . Mack var høytidelig i stemmen. Et håndvåpen er mannens mest perfekte konstruksjon. Våpenet kan bety virkeliggjørelse av hans dristigste drømmer: alt potensiale er samlet her . . . Han klappet løpet: Konsentrert makt . . .

Pang!

Han hadde trukket av mens han snakket. 38-kaliberen hoppet i hånden hans. Ekkoet smalt mellom svabergene. Jeg tenkte på naboene, men det gjorde han øyensynlig ikke. Anslaget sto tydelig å se på skiven. Et dårlig skudd, femmer, muligens sekser. Mack bannet og stilte på baksiktet: Pang! Pang! Pang!

Ikke mye bedre. Nå tok han seg tid, siktet lenge:

— Jeg tenker av og til når jeg står slik: Kunne jeg gjøre det? Kunne jeg rette våpenet mitt mot et menneske og trekke av? Jeg mener, hvis jeg var i en desperat situasjon, om jeg eller noen av mine ble virkelig truet . . . ?

Pang! Pang!

Han hadde tømt magasinet. De to siste satt innenfor den svarte ringen. Alt i alt en middelmådig serie. Men våpenet var nytt, han hadde ikke rukket å skyte seg inn. Han kontrollerte ikke skiven, ladde bare hastig igjen og rakte meg revolveren.

— Din tur . . .

Jeg hadde ikke lyst, men jeg måtte. Hans iver og oppstemthet smittet meg. Men jeg sa til meg selv at jeg ikke ønsket noen konkurranse med ham i dette humøret. Ingen situasjon som kunne føre oss «sammen» igjen nå da jeg endelig følte at jeg var kommet på avstand. Vi sto rett bak båthuset med ryggen mot bryggen. Kulefangeren med skivene var stilt opp mot et bratt lite berg i den nederste lommen av hagen. Det var sen ettermiddag, men solen hang ennå oppe, og båthuset kastet skyggen sin ut på plenen til høyre for oss. Mønet med bjelken stikkende frem tegnet et tydelig omriss på gresset.

— Kom an nå. Jeg vet du er bedre enn meg . . . !

Jeg fikk våpenet trykket i hånden, og måtte forsøke å skjule fortroligheten jeg øyeblikkelig følte. Alt han sa var selvsagt helt riktig: En Smith & Wesson Combat Masterpiece er en skjønnhet; skinnende blank finish, nøttetreskjefte med monogram, fire tommers løp med klassisk quick-draw sikte. Med denne kunne jeg skyte 380 der og da!

— Kom igjen da!

Jeg fyrte av en rask serie. Avtrekket, lett med nydelig avstemt trykkpunkt, kjente jeg som mitt eget åndedrag. Våpe-

59

net var som en del av min utstrakte arm. Jeg passet på å sette serien min i hans skive.

Da jeg var ferdig, løp han frem for å kontrollere, og bannet. Jeg unnskyldte meg. Det er fort gjort å gjøre en slik feil. Han var ergerlig og forsøkte å skille sine skudd fra mine for å regne ut differansen. Jeg påsto at to av tierne hadde vært hans, og at jeg dessuten hadde hatt en slenger til slutt. Han ville skyte en omgang til, nå straks, men jeg avslo og skyldte på lyset som begynte å bli dårlig. Så ba han meg inn på en drink i stedet. Han ville vise meg huset, det var det jo ikke blitt tid til på søndag.

— Nei, da gjorde du jamen kort prosess med selskapeligheten, Glahn! Ha ha ha! De fleste syntes det var helt topp. Folk venter seg litt av hvert av en kunstner, vet du . . .

Jeg forsøkte å innvende at jeg slett ikke var noen kunstner, men han lo det bort og slo meg på skulderen. Det var som om tonen mellom oss var blitt enda mer direkte intim, etter min fadese:

— Ikke så beskjeden nå, Glahn. Alle likte din lille oppvisning, særlig damene . . . Hahaha!

Idet vi skrådde over terrassen, kom Eva ut. Hun sto tydeligvis på farten, med en veske i hånden og en jakke kastet over skuldrene. Jeg hilste og håpet min hilsen ikke virket tvungen og stiv. Hun smilte sitt sky smil:

— Jeg må dessverre gå, sa hun. Jeg visste ikke at du skulle komme . . .

— Bare en kort visitt, svarte jeg. Og så burde jeg vel takke for sist, tross alt . . . ?

— Hvorfor det? spurte hun, og forbauselsen hennes var ekte. Bare synd at du forsvant så fort. Men jeg håper du kommer igjen snart? Det var ingen reservasjon å spore.

— Jeg tar bussen, meddelte hun kort til Mack som sto med revolveren i hånden og hadde åpnet munnen for å si et eller annet, kanskje vise henne sin nyervervelse, eller be om unnskyldning for vår kanonade i hagen, men hun lot seg ikke merke med noe, og ingen sa noe mer. Så hørte vi de hurtige skrittene hennes over grusen i oppkjørselen, en sped, sprø lyd som fjernet seg.

— På kurs, mumlet Mack. Alltid på kurs. Hva som helst for å få komme seg ut av huset noen timer . . .

Det var som et avtrykk av den lyse skikkelsen hennes hang igjen der mellom oss i det tunge, varme aftenlyset. Jeg husket hvordan hun hadde trukket jakken sammen over brystet med den ene hånden idet hun gikk, en bevegelse som jeg ville forbundet med en eldre, enklere kvinne. Og jeg følte den samme ømheten for henne som jeg hadde kjent da jeg så henne løpe omkring på terrassen og rydde blant alle de henslengte, halvsovende lunsjgjestene.

Nå fikk jeg for første gang anledning til å se meg om i det romslige, velutstyrte huset. Møblene virket nye og dyre. På veggene hang gode reproduksjoner av kjente maleres verker. Kunstgjenstander i glass-skap, på hyller og bord. Noen våpensamling var ikke å se, bortsett fra et par antikvariske børser som hang over trappen.

— Resten har jeg liggende nedlåst inne hos meg.

Han fulgte meg rundt og merket min interesse for våpnene.

— Hun liker ikke å se dem, så det måtte bli på den måten. Og inne hos meg er det god plass siden hun flyttet ut . . .

Han ville plutselig betro meg detaljer om deres samliv. De var glidd fra hverandre, fortalte han, til tross for alle anstrengelser for å berge det gode. Det var vel slikt som skjedde med de fleste nå for tiden. Men med dem var det gått så langt at han hadde begått en dumhet, involvert seg med en sekretær på kontoret, hverken langvarig eller alvorlig, men tilstrekkelig til at Eva hadde fornemmet noe, og siden trukket seg helt bort fra ham. De hadde ikke hatt noe samliv dette siste året.

— Og nå er jeg liksom «den skyldige», sukket han. Nå kan

hun bebreide meg alt, sin kjedsomhet, sin frustrasjon, hele sitt utilfredse liv. Hun sier hun vil ut å arbeide, ta en jobb, men hun *kan* jo ingenting. Og så blir det selvsagt min skyld at vi giftet oss da hun var atten og ga opp alle planer om utdannelse. Så går hun kurs etter kurs uten at det kommer noe utav det, og føler seg «fanget». Du hørte selv hvordan hun gjør et nummer ut av at hun tar bussen? Men jeg kjøpte bil til henne. Den står i garasjen. Problemet er at hun selv må ta sertifikat. Og det klarer hun ikke. Etter femogseksti timer sa jeg stopp: jeg tror faen ikke hun *vil* ha dette førerkortet likevel. Hun spiller ihvertfall helt håpløs bak rattet. Kjøretimene vil hun ta, det adspreder henne. Men tanken på å sette seg inn i sin egen bil og kjøre hvor hun selv vil, ser ut til å skremme vettet av henne av en eller annen grunn.

Vi sto foran en stor grøntoppsats hvor han ville vise meg sitt nye opplegg med vekstlys, et blålig skinn fra spesielle rør som lyste dag og natt og skulle få plantene til å gro dobbelt så fort. Bugnende bregner, skinnende gummiplanter og tårnhøye Ficus vitnet om det. Jeg hadde aldri før sett en så voldsom beplantning innendørs, og fikk et øyeblikk følelsen av at dette dekorative kvadratet av jungel var på vei til å sprenge seg ut av pottene den var plantet i, slå røttene ned i de fine sprekkene i parketten og spre sin frodige grønske tøylesløst utover hele huset.

— Jeg vet ikke hva hun *vil*, Glahn! Han så på meg med bedende, blodsprengte øyne. Og jeg tror faen ikke hun vet det selv heller! Hun vil være «fri», sier hun. Hun vil «ut» — og så sitter hun bare der. Som oftest stenger hun seg inne og leser bøker. Leser og leser. Når jeg spør henne hva hun leser, svarer hun: «Ting som du også burde ha lest . . .» Hva faen er det for slags svar? Hun vet jo at jeg aldri leser, ihvertfall ikke bøker!

Edvarda var plutselig sammen med oss i stuen.

— Åh, unnskyld. Jeg visste ikke det var noen her, utbrøt

hun idet vi begge snudde oss mot henne. Men hun måtte ha hørt oss skyte. Og hun måtte ha hørt Macks rungende stemme som bar over alle andres og fylte ethvert rom hvor han opplot munnen.

— Jeg trodde du skulle ut, sa han med et mønstrende blikk på datteren.

— Jeg er på vei, svarte hun. Marius ringer hvert øyeblikk.

Hun var virkelig pyntet, om en da kunne kalle hennes skjødesløse kostyme for 'pynt'. Hun satt henslengt på sofaryggen og vippet med en turnsko, en simpel turnsko, men utstudert avstemt i fargen til resten av antrekket. I første omgang kunne man oppfatte klærne hennes som smakløse, ubehjelpelig hengt på den store kroppen, et stilbrudd i den elegante stuen. Men så man nøyere etter, var det som om selve uskjønnheten sto i et utspekulert og subtilt forhold til møblenes stramme stil og deres veloverveide plassering. Edvarda og dette huset var samstemt i en utilnærmelig perfeksjon.

— Håper han ringer, da . . . brummet Mack borte ved bordet med flaskene. Ved siden av henne virket han tung, lut, ubehjelpelig. Sportsskjorten hadde skjøvet seg opp og hang delvis utenpå, og de trange, lyse buksene satt for langt nede på hoftene og dyttet en dryg fold av dovent mannskjøtt oppover til et belte som duvet og levde sitt eget liv når han gikk over gulvet.

— Ham burde du nemlig holde på . . .

Hun fnyste. Han lot til å livne til ved hennes indignasjon.

— Vår kjære Edvarda med det romantiske navnet er ikke særlig romantisk av seg, men hun bestemte seg ihvertfall endelig for å forelske seg i privatlæreren, en utmerket gutt, studerer til lege med sikte på psykiatrien. Der har du gjort noe lurt for en gangs skyld . . .

Han hevet glasset sitt ironisk.

— Vet du hva, pappa, av og til simpelthen *orker* jeg deg ikke!

Hun marsjerte ut.

— Men jeg elsker deg! Jeg elsker dere begge to! Jeg elsker alle!

Hele kroppen hans ristet av innvendig latter mens han tømte den tredje pjolteren i grådige drag. Meg hadde den siste ubehjelpelig rasende setningen hennes berørt på en merkelig måte, og jeg ønsket meg plutselig bort, tilbake til roen i mine egne omgivelser. Men da jeg ville si adjø og takk for meg, slo han om:

— Du kan da ikke gå alt nå, Glahn, nå da kvinnene har forlatt oss. Nå som vi får hele huset for oss selv. Nå kan vi ha fest!

Han ville nøde på meg et glass til, jeg avslo og holdt på at jeg ville tilbake til byen.

En telefon begynte å ringe. Den ringte og ringte. Han gikk et par skritt, stanset og bannet:

— Hun tar den ikke . . .! For faen, hun tar den ikke . . .!

Endelig stoppet telefonringingen. Vi hørte ytterdøren smelle. Jeg gikk ut på terrassen. Han fulgte etter, grep meg i armen:

— Hva med en aldri så liten tevling, da? Nå på fallrepet? Du skylder meg jo revansje! Tre skudd på bjelken, den som får trinsen til å spinne, har vunnet. Den som taper . . . Han holdt fremdeles armen min i et hardt grep. Ansiktet smilte, men stemmen dirret: Den som taper skylder den andre en dag av sitt liv . . .! Han pekte som i triumf mot båthuset hvor bjelken rett under mønet skar en klar silhuett mot den lyse himmelen, speilte seg i det dryppstille vannet.

— Hva sier du?

Han hadde allerede trukket og sto og siktet. Jeg syntes jeg hørte skritt over grusen.

To skudd smalt. To-tre kråker lettet tungt fra naboens bjerker. Det tredje skuddet hakket en flis av bjelken et godt stykke inne. En bil startet.

64

— Din tur . . .

Som i hast grep jeg revolveren, siktet og fyrte. Anslaget mot den gamle jernkrampen sendte en liten gnistskur ned over bryggen. Mack bannet:

— En runde til!

— Beklager, ropte jeg gjennom skumringen, gjennom røken som drev. Jeg må løpe . . .! Det gledet meg ikke å vinne over ham. Jeg ønsket meg ikke en dag av Macks liv.

Jeg skrittet ut nedover hellegangen. I den varme kvelden var det som de fargesterke, kjøttfulle bedblomstene la seg ut av sine geledder, ut på de lyse stenene for å slikke skoene mine. Blomstrende busker som slipper sin duft etter solnedgang bedøvet meg med sin krydrede ange. Grener tunge av nattgrønne, famlende blad la seg lavt over stien og holdt meg tilbake: jeg var i skogen igjen. Og et sted der inne satt hun og ventet på meg. Jeg hørte motoren som spant . . .

15

Her i bilen, i halvmørket, skulder ved skulder med henne, hvor skogsduft drev inn av vinduene der vi kjørte, og vinddraget nappet i håret hennes, i fine, lyse ulltråder på genseren hun hadde slengt over skuldrene (så selvsikkert, så skjødesløst, så ulikt moren!) som kilte det dunete kinnet hennes, og innestengtheten og trykket av setet mot kroppen, straks minnet meg om hennes hastige, grådige kyss (for hvor lenge siden? tre dager? en uke? to uker?), her, innelukket sammen med henne i hennes duftende, duvende lille kapsel som jeg i dette øyeblikk visste at jeg hadde vært på flukt fra alle disse timene, disse dagene da jeg ikke hadde greidd å beskjeftige meg, men talt skritt, talt sprekker i fortausbetongen, talt

65

duer i bakgårdens takrenner, alt, alt for å få enda et stykke tid til å gå, korte avstanden fra en distraksjon til en annen, fra et jaktfelt til det neste hvor jeg drev min etterhvert meningsløse søken etter gjenstander som skulle gi Macks tilværelse et anstrøk av spenning og eksotisme, som i virkeligheten var jakten på tretthet, på utmattelse og så endelig på den lindrende søvnen, den etterlengtede intetheten, her inne sammen med henne, så nær henne at våre skuldre av og til måtte berøre hverandre, opplevde jeg hvor lite vi maktet å styre forelskelsens galskap, hvordan våre kaotiske anstrengelser for å skru 'på' eller 'av', våre manøvrer til og fra, våre avledende utsagn og løgnaktige påstander, alt er et latterlig, hensiktsløst skuespill på kanten av overgivelsens avgrunn.

Min egen sommer hadde begynt — og endt den første søndagen ute i Asker, ved synet av armene hennes rundt kjærestens hals. Og siden hadde den blusset og sluknet, blusset og sluknet igjen flere ganger om dagen, etter hvert som jeg gikk gjennom våre samvær, våre felles bevegelser sammen, våre manøvrer, i fineste, mest intime detalj. Slik bare en mann besatt av forelskelsens ville demon kan gjøre det, trevle hver enkelt situasjon ned til dens innerste dramaturgi, lytte og lytte til erindringens lunefulle opptak av alle samtaler, alle ord som har falt, veie ordvalg og tonefall mot grimaser og uttrykk som spilles om og om igjen over det indre øyets febersyke billedskjerm. Og hele tiden, fornuftens lakoniske, selvbedragerske akkompagnement: Det var det. Det er over. En distraksjon. En stemning. Avblomstret heggesnø i vinden. En lett, duftende skur av glede og fryd som snart visner og krøller seg sammen til ingenting. En voksen mann kan ikke hefte seg opp i en ustadig ungpikes påfunn. Du har andre ting å tenke på. Du har din selvrespekt og din frihet, ditt nye liv som du selv skal velge.

— Jeg har tenkt slik på deg, sier hun plutselig, og ordene hennes er som en eksplosjon i den trange bilkupéen.

— Jeg har prøvd å la være, jeg trodde jeg mislikte deg, jeg sa til meg selv at du er som alle andre, til og med dobbelt så gammel som jeg. Men det hjelper ikke . . . Nei, nei! Ikke si noe nå, for da greier jeg ikke å fortelle deg resten. Jeg er blitt forelsket i deg! Jeg har prøvd ikke å være det. Jeg har prøvd å late som, men det nytter ikke. Jeg oppførte meg forferdelig mot deg på søndag, men det var fordi du sto og flørtet slik med den tykke damen. Det var da jeg plutselig ikke likte deg lenger. Men da du var gått, gikk jeg inn og gråt. Jeg var sikker på at du aldri ville komme tilbake. Slik tror jeg du er. Da jeg hørte stemmen din i hagen nå i sted . . . Hun sukket og sa ikke mer på en stund og trekken rykket og rev i håret hennes som fikk bruse fritt i kveld:

— Jeg hadde avtalt at jeg skulle gå ut og danse, men jeg har ikke lyst til å danse om jeg ikke får danse med deg!

Foran oss lå byens elektriske glitter som glør mot en sluknende himmel. Hun hadde holdt inne et øyeblikk, så lo hun litt anspent som for å dekke over en annen følelse:

— Herregud, har du hørt! «. . . Men jeg vil ikke danse om jeg ikke får danse med deg . . . !» Hun fordreide stemmen så ordene fikk en overdramatisk, komisk klang:

— Hvem snakker slik? Ingen. Ikke jeg i hvertfall. Ikke før jeg traff deg. Med deg er det som alt må prøves ut på nytt . . . Hun trakk pusten:

— Jeg elsker deg . . .

Det ble stille i bilen. Så lo hun nervøst og svingte unna en syklist.

— Hvordan hørtes dét ut for deg, hva? Jeg elsker deg. Jeg elsker deg. Elsker deg!

Hun lo, og vinden tordnet inn gjennom åpne bilvinduer.

— Hva er det med deg, Glahn? Når jeg tenker på deg når vi ikke er sammen, kan jeg nesten ikke huske hvordan du ser ut, for da er du liksom ikke én, du er alle ting, du er alt omkring meg, øynene dine, og stemmen din . . . Og du ligger på kne for meg og kysser kjolekanten min . . . Huff nei, ikke hør på meg. Glem det. Det var bare noe som sto i en bok mamma ville jeg skulle lese. En bok om en mann som blir gal av forelskelse. Mamma elsker den boken!

Vi var inne i byen. Hun kjørte langsommere nå, svingte til slutt inn i en stille sidegate og stanset:

— Jeg så deg fly gjennom luften, Glahn, sa hun åndeløst og så på meg for første gang på hele turen. Du fløy gjennom luften naken som en gud, og jeg vil aldri kunne glemme det!

Hun la armen om halsen min, slik hun hadde gjort det for nesten en uke siden, men nå var det ikke et muntert og provoserende blikk hun søkte meg med, nå var det et undrende, nesten smertefullt drag over det brede, kraftige ansiktet hennes:

— Jeg elsker deg, hvisket hun med kinnet sitt klemt mot mitt. Jeg elsker deg, jeg elsker deg så jeg ikke vet hva jeg skal gjøre . . .! Og hun druknet min takk under kyssene sine.

Slik satt vi en evighet før hun rev seg løs:

— Nei! Jeg må ikke sitte å kysse deg mer! Jeg må gå . . . Hun rettet forpustet på klærne, på håret, vred bilspeilet rundt så hun fikk se en stripe av ansiktet, lo og holdt hendene mot begge kinn:

— Se på meg! Har du sett . . .? Åh, som jeg elsker deg, Glahn! Vet du at det er første gang, aller første gang jeg har sagt noe slikt til en mann? Men med deg går det an. Til deg kan jeg si hva som helst, for du er ikke som noen andre. Åh nei, du må ikke kysse meg mer! Du er her. Du er min! Men jeg vet ikke hva jeg skal gjøre med deg . . . Det er noe jeg må betro deg først, om du lover meg ikke å le, du må ikke le! Jeg er jomfru. Jeg er atten år gammel og jomfru! Og jeg synes det er så flaut. Men det har aldri vært noen som . . . Nei, du må visst holde meg likevel. Jeg tør ikke se på deg nå. Sammen med deg vil jeg være så flott og erfaren. Sånn som du . . . Nei, nei, ikke nekt! Jeg så nok et par røde, høyhælte sko oppe i leiligheten din! Nei, jeg vil ikke vite noe! Jeg vet at det ikke kan være . . . dette. Nå må jeg gå. Bare et øyeblikk til . . .

Kroppen hennes trakk seg tilbake, og fløt så igjen mot meg, omkring meg, bløtt og føyelig som tang under vann. Hun var så ung at hun ikke hadde hatt tid til å erfare berøringenes nyanserte register av sanselige signaler. Hennes omfavnelser var muskelsterke og harde som brytegrep. Men når hun la hånden på armen min, eller på kinnet, eller bak nakken for å være nær, for å få utladet litt av den syngende, sugende spenningen som bygget seg opp mellom oss i dette trange rommet, var berøringen lett, knapt merkbar, som en liten vind, et streif av skygge på huden en soldag. Som om hun strøk fingrene over et stoff så skjørt at det kunne gå istykker om noen pustet på det: stoffet vårt felles under var laget av . . .

Hun rev seg løs til slutt og sprang ut av bilen. Jeg ble sittende igjen. Hun løp til sin avtale, jeg satt med de siste ordene hennes i ørene: «. . . Men jeg vil ikke danse et trinn når jeg ikke får danse med deg!» Hennes oppspilte forelskelsesspråk. Hun snudde seg, vinket og kastet et siste kyss, så keitet og samtidig så fullmodent kvinnelig. Så dreide hun rundt et hjørne, og jeg satt tilbake bare med avtrykket av hennes kinn mot mitt, og et ekko av hennes pust, hennes puls som langsomt ble oppslukt av storbyens mumlende røster.

16

Vi var sammen så ofte vi kunne få det til, og det var ikke ofte nok. Jeg var lykkelig, men det var en skjør, sårbar lykke. De kveldene hun ikke kunne komme, var fulle av venting på ingenting, plagsomme tanker til ingen nytte, lytting og speiding, til jeg bare så mitt eget ansikt i ruten, og bare hørte mitt eget hjertes dobbelte slag hvor det ene, det tyngste, var for henne.

Jeg gjorde stadig turer omkring i byen for å skaffe flere kunstgjenstander til Mack, selv om vi nå på sett og vis var blitt kvitt etter at jeg hadde solgt ham revolveren for en billig penge. Det var som jeg stadig skyldte ham noe. Jeg trakk hjem antikke glass, gamle bøker og kopperstikk. Jeg la hele min flid i dette. Og likevel var det som om jeg bare var halvveis nærværende. Når jeg hadde vært ute en tur, hastet jeg alltid tilbake til leiligheten som om noe ventet meg der, men møtte selvsagt bare den stumme døren, og ble fra meg av skuffelse og irritasjon. Men hva annet kunne jeg vente å finne? Jeg visste jo at hun satt og strevde med eksamensforberedelser i disse dagene, at hun gikk til privattimene hver ettermiddag. Deretter kom hun rett til meg de dagene hun kunne finne en unnskyldning til å komme fra. Hva plaget jeg meg selv slik for? Jeg var jo lykkelig! Jeg lo av glede og lystighet. Og jeg led.

I de tomme timene etter stengetid, men før det var rimelig å vente henne, kunne jeg i min forstyrrethet gi meg til å følge etter folk på gaten, alminnelige mennesker på vei fra arbeid, eller fra sine innkjøpsrunder, menn og kvinner med sitt å bry seg om uten tanke for en enkelt avstikkende mannsperson som gikk der og prøvde å kvele sin brann ved å avlede tankene. Jeg diktet opp samtaler der jeg gikk og observerte nakkene deres og hælene, klærne, veskene, dokumentmappene eller posene de gikk og bar på. Jeg skapte meg forestillinger om deres liv, hvor og hvordan de bodde, deres familieforhold, hva de het og hvor gamle de var. Denne observasjonsleken moret meg. Jeg drømte meg bort mens jeg gikk slik og fulgte mitt utvalgte objekt, og da forfølgelsen endte, som regel ved bussholdeplass eller undergrunnsstasjon, var det som å si farvel til en god bekjent. Så ensom følte jeg meg, og så stor var

70

plutselig appetitten min blitt på mennesker, alle mennesker, som om den kjærligheten jeg følte var for stor til å kunne rommes i bare én kropp. Som om jeg hadde nok av den i meg til flere. Litt av meg selv å dele ut til alle. Varme gaver av mitt ødslende overskudd.

Men etter hvert som timene gikk, kunne ensomheten bli knugende der jeg vandret omkring i de tomme bygatenes strenge ro, kanskje bare med en herreløs hund til selskap, en skremt og sulten kjøter som søkte seg fra dør til dør, fra port til port, slik som jeg. Ja, jeg kunne kjenne en grenseløs godhet bryte frem i meg ved synet av en slik hund, jeg kunne godsnakke til den, lokke på den og kjenne gråten presse i halsen når den, etter først å ha nølt og været forsiktig i min retning, nærmet seg et par-tre skritt på skjelvende ben, og så plutselig vendte om og la på sprang med halen klemt mellom bena som for å vise meg hvordan mitt forsøk på vennlighet skremte den.

Hjemme igjen brast jeg i gråt ved synet av den tomme døren.

17

Hun kom til meg med sitt store, åpne ansikt, blå blikk, hvite tenner, heftige pust, varme hud:

— Har du ventet? Jeg løp det jeg kunne . . . !

Jeg sa at jeg ikke hadde ventet. Ikke mer enn noen minutter. Jeg var glad for hver svettedråpe på pannen, på overleppen hennes. De viste at hun hadde tenkt på meg.

— De tvinger meg til å lese og lese og lese . . . Pappa passer på!

Jeg sa at det ikke gjorde noe. Ikke nå. Hun måtte tenke på

arbeidet sitt, på skolen.

— Men jeg tenker ikke på den! Ikke et øyeblikk! Jeg tenker
på deg, hele tiden!

Jeg ville takke henne igjen.

— Du er så rar, du behøver da ikke takke meg for alt . . .
Det var ennå en liten uro som red meg, selv når vi sto slik tett
omslynget midt på gulvet.

— Jeg har tenkt at vi burde komme oss ut og bade en dag,
bare vi to. Vi kunne ta båten og dra ut på en holme jeg vet
om, hvor det aldri kommer et menneske. Der kan vi være helt
uforstyrret. Der kunne vi kle av oss i solskinnet!

Henne til rors i Macks hvite cabincruiser! Jeg følte meg helt
utslettet ved dette synet.

— Vi kan kle av oss her, sier jeg.

— Ja, det er varmt . . .

Hun søker meg med et blikk fullt av ømhet og besluttsomhet.

Jeg er først ferdig, står naken på gulvet og ser på henne som
halvveis sitter og halvveis ligger for å få vridd seg ut av de tran-
ge buksene. Hun er ikke egentlig vakkert skapt, mer en ufor-
melig jentunge enn en kvinne. Skuldrene er brede, hele tor-
soen hennes er stor, de hvalpehvite brystene er små og spisse
og virker uutvokste. Men hun tar ikke av seg trusen.

— Jeg tør ikke ta av meg alt, hvisker hun. Jeg synes ikke
det er noe pent . . . Og hun ser nedover kroppen sin med et
uttrykk midt mellom sorg og smil. Så holder hun hardt om-
kring meg, ikke av lidenskap, men av sjenanse:

— Du er den første mannen jeg har sett helt naken, Glahn.
Du var som en gud da du sto der på mønet på båthuset. Jeg
har tenkt på deg hver time siden!

Huden under hendene mine ånder sin ange av pikekropp.
Men mot min heteste lengsel kjenner jeg bare det glatte stof-
fet i trusen hennes. Hun er her hos meg, overgitt, naken, for-
legen og redd, en klynkende småpike som gir seg hen i en

72

voksen manns armer. Men hun er ennå uoppnåelig og jeg elsker henne for det. Enda mer, enda høyere, enda villere. Enda mer selvutslettende.

Slik møttes vi, i lange, inderlige favntak uten inntrengning, uten forløsning. Vi kledde av oss, hun beholdt trusene på. Hun var jomfru. Jeg respekterte hennes jomfrudom. Ja jeg dyrket den. Jeg slikket halsen og armhulene hennes, bet de runde skuldrene, gned og klemte de viltre små brystene til hennes dype stønn gikk over i ynk og skrik og jeg falt over henne og tagg henne om tilgivelse for min heftighet. Men ga ikke denne forrykte leken møtene våre en spenning som ikke kunne sammenlignes med noe jeg tidligere hadde opplevd med kvinner? Ga ikke respekten for hennes møydom, og det lille klesplagget som symboliserte den, en intensitet til vår elskov, en stadig følelse av eskalasjon og større forventning enn den ellers på noen måte kunne ha fått? Gjorde ikke denne mangelen på den såkalte «fullbyrdelsen» nettopp vår kjærlighet fullkommen både i øyeblikket, og i den tid fremover vi kunne overskue, som ble uendelig fordi lengslene var så sterke at de slo bro over all ventetid, alle tidsrom?

— Imorgen også, Edvarda, hvisket jeg.

— Ja, imorgen. Og i overmorgen, og i overovermorgen . . .!

Utkjørte skiltes vi i en langtrukken omfavnelse utenfor gatedøren, og på ny ved hennes bil etter å ha gått gaten ned tett omslynget og stanset for annethvert skritt. Ør av tretthet og glede fant jeg det uråd å gå inn og legge meg der jeg sto under himmelen som allerede var slått i morgenens mange metaller. Så jeg bega meg ivei i min opprømte stemning. Sprang og klatret gatene oppover til jeg havnet i parken, på benken med utsikt til sør og vest, og så morgenen farge de fjerneste åsene. Der satt jeg og hilste de første fuglene godmorgen. Totre godlynte spurver, trost på lyttende jakt etter mark under gresstorven, og de trygge, bedagelige endene som holdt til

73

ved springvannet. Og jeg tellet allerede timene til neste møte.

Kanskje elsket jeg henne enda høyere, mer fulltonede og fullkomment her på avstand, med avskjedsordene hennes ennå i ørene og spyttet etter hennes siste kyss ennå tørkende på mine kinn?

Doktoren nikker og lar arket synke. Av blikket hans kan jeg ikke avgjøre om han er grepet av min historie, eller om han morer seg over den. Munnen som er vakkert formet kruser seg ørlite grann som om han må lete etter de riktige ordene. Eller like gjerne kan være en ironisk replikk. Det har utviklet seg til å bli hans språk til meg, den vennlige, overbærende ironi.

— Fint, sier han til slutt. Utmerket. Du er i gang ...

Jeg venter halvveis at han skal stramme til, felle en knusende dom etter denne vennlige åpningen, men han lar blikket sitt flyte ut i det fjerne og filosoferer videre:

— Jeg ser at du k-kaller deg «jeger» i dette du hittil har skrevet. Kanskje ingen d-dum betegnelse det. Jegeren opplever vel sitt s-største øyeblikk idet han har listet seg inn på byttet og ser det stående rolig i l-lysningen. Når han huker seg ned på kne og t-tar sikte. Sekundet før skuddet fa-faller. Øyeblikket av f-fullkommen f-forventning ...

Duverden! Jeg har inspirert ham! Han henfaller til poetiske metaforer!

— Ikke dårlig det, Glahn. Det viser innsikt. Det tegner bra ...!

Men så smeller psykologiens svøpeslag:

— Selvfølgelig kunne man også si at du her demonstrerer en merkelig ambivalens til forførerens rolle. Du både vil og vil ikke være forfører. Og det er litt påfallende, synes du ikke? Hos en mann som i den grad opptrer som forfører i alle sosiale sammenhenger. Hva? For det er ikke bare Edvarda det dreier seg om, er det vel? Har du forresten lest rapporten jeg la igjen til deg? Ikke ennå? Nei, du behøver ikke forhaste deg. Alt til sin tid. Men det står enkelte ting i den som har sammenheng med dette vi snakker om nå. Det vil du nok se . . .

18

Kanskje er det slik at det finnes en kjærlighetens dramaturgi som sier at spenningen en gang må utløses, hvor søt og besnærende den enn har vært? Kanskje finnes det faser i elskovens eskalasjon som ikke kan springes over? Enhver drøm som dyrkes som noe annet enn det den er vil til slutt gjøre krav på virkeligheten. Og kjærligheten krever handling. Jeg ser det nå, selv om jeg prøver å skyve de etterpåkloke resonnementer til side og bevare et minne. En forestilling om en tidløs legemlig forening i bristeferdig uskyld . . .

Hvor lenge varte lykken? Jeg skriver her at den fylte sommeren som lyset fra en liten fyrstikkflamme fyller lampeglasset når du skrur opp veken, fyller rommet og berører alt der inne med sin varme glød og holder mørket, natten, borte. Men det var bare snakk om uker. Tre-fire uker mellom de første hete sommerblaff i mai, og midsommer. Uker som rommet endeløse tidsvolumer, enda de fløy forbi så fort, forsvant og etterlot en juli måneds tunge stillstand, skyer, tordentrusler og naturens udeltagelse innkapslet i dype, mette grønntoner som mørknet mot et fjernt og kjølig blått. Og likevel er dette heller ikke riktig, for lykken kan du ikke viske ut når du har opplevd den, den hviler hos deg, den forandrer deg og vil bestemme dine følelser og tanker, også etterpå, når lykkens handlinger er glemt og hendelsene står som svake omriss i erindringen, og lykken selv tar andre navn . . .

Min lampe brant med høy, klar flamme disse ukene. Slik

lykke gjør deg overmodig. Du kan plutselig ta den for gitt, begynne å kjøpslå med den, måle og veie den: Når er jeg mest lykkelig? Nå? Eller kanskje nå? Når hun er hos meg. Når den dype, duftende skogen lukker seg rundt vår hytte. Når jeg har munnen full av håret henns. Huden hennes mot min hud, kroppen hennes levende under min kropp? Eller når jeg i søte rier savner henne så jeg ikke kan holde på tårene, vrir meg alene i min seng og hvisker navnet hennes, teller timene . . .? Når var jeg lykkeligst? Og hun? Hun som kom hastende til meg, til gjemmestedet vårt i skogen, hver kveld. Og var det en kveld hun ikke kunne, så var det tårer og forklaringer den neste, bønner om tilgivelse som smakte salt på leppene: For faren passet på, han holdt henne under oppsikt, tvang henne til å lese matematikk. Så når hun skulle ut, måtte hun skylde på at hun gikk for å møte Marius, studenten, matematikklæreren som hun hadde håpet å kunne forelske seg i for å glemme Glahn, den merkelige løytnanten fra ingensteds som bare kom og opptok plass i alles liv, grep tak i alle som kom nær ham og nektet å slippe dem igjen . . . Guttungen, kalte hun Marius, som var blitt henne så likegyldig. Den krøllhårede, tykkfalne kameraten som bare slukket lyset når de var sammen på tomannshånd og ville krafse seg ned i buksene hennes. Medisineren med psykiatriambisjoner som faren så gjerne ville spleise henne med. «Men så kom du,» sa hun. «Du. Du. Du. Du . . .!»

— Har du sett . . .?

Hun var kommet tidligere enn hun pleide, var andpusten, varm, litt opprømt som alltid. Fikk ikke slått seg til ro hos meg med det samme:

— Jeg er forandret idag!

— Hvordan da, Edvarda?

— Nei, jeg har bare følt meg så underlig, så ulik meg selv, i hele dag . . .

— Håret ditt . . . Kanskje det er håret, det har vokst seg langt igjen.

— Ja, jeg vet det. Jeg vasket det. Jeg tenkte jeg snart skulle klippe det igjen.

— Ikke gjør det, det kler deg så godt slik . . .

— Da venter jeg litt til for din skyld . . .

— Takk . . . Takk . . . !

— Så rar du er, som synes du må takke meg for alt . . .

— Jeg takker deg bare fordi du er den du er.

— Men hvem er jeg, Glahn? Jeg kjenner nesten ikke meg selv igjen! Hvordan er jeg blitt? Hva er det du gjør med meg? Du vet ikke hvordan jeg føler meg idag! Ser du — jeg har tatt på meg skjørt — for å pynte meg. Og for å vise deg noe. Se her:

Hun setter hendene i siden og tar et lite skritt, et danse-trinn, og svinger seg så skjørtet bruser over knærne:

— Se hvor freidig og fri du har gjort meg . . . !

Hun svinger seg igjen, rundt og rundt, og skjørtet svever om bena hennes, enda høyere, enda dristigere, jeg kikker langt oppover lårene hennes, de kraftige, glatte lårene som hun har klemt sammen rundt livet mitt.

— Så se da!

Hun spinner igjen, tar et tak i skjørtekanten og løfter den i en uimotståelig keitet can-can gestus. Og plutselig ser jeg hva hun vil vise meg. Plutselig lyser det hvitt i den bare huden hennes helt opp til midjen: et glimt, et glimt til . . .

— Så du nå? Hun er ustø i stemmen og øynene stråler:

— Slik er det med meg i dag. Slik har du gjort meg. Så jeg vasket håret og malte neglene og sa til meg selv at i dag vil jeg elskes. Elskes, Glahn! Skjønner du . . . ?

Og hun danset for meg, stor og unett i kroppen, men fylt av en drømmende, sanselig tyngde som tok pusten fra meg. Svimmel og leende lot hun seg falle og havnet på ryggen i sengen:

— Kom! Kom! Kom nå!

Og hun trakk meg med seg i fallet, så jeg ble liggende over henne som så ofte før. Og hun lå nytende under meg som så ofte før, med all sin unge, ubendige, attenårige utålmodighet bredt ut, og et hardt tak om min rygg og nakke og lot meg kjenne det duvende, rytmiske trykket fra hoftene sine som bestandig før hadde gjort meg så gal . . . Men nå var det på alvor og jeg visste plutselig, med en forferdelig, uimotsigelig klarhet at ingenting ville kunne skje. Og jeg hvisket det til henne. Prøvde å hviske det gjennom den oppspilte pusten hennes. Men det var som om hun ikke hørte, eller ikke ville høre. Den anspente kroppen hennes ville ikke forstå der den helt hadde hengitt seg til sine rytmer:

— Min elsker, min elsker . . . !

Det var som hun messet refrenget på en populær melodi. Mens jeg lå der kraftløs og overveldet og følte hennes villighet og hennes pågåenhet som en dissonans i vår finstemte harmoni av begjær og forventning, og ærbødig kyskhet. Synet av ansiktet hennes så tett under mitt, rødt og opp-pustet, med et smertelig, barnaktig drag som om hun ikke riktig forsto hvor denne voldsomme trangen kom fra, og ville verne seg mot dem, men likevel hadde gitt seg over til dem, ja så helt og fullstendig. De sterke fortennene som tygget underleppen. Neseborene som videt seg ut. Øyelokkene tett, tett lukket, alt dette splintret mitt bilde av piken Edvarda som skjelvende ga seg hen i en skogsmanns armer. Hennes voldsomhet ble med ett noe truende, hennes sult en blind og bortskjemt vilje til å fortære, hennes overgivelse et krav, en kommando jeg hverken ville eller kunne adlyde. Bak mine egne øyelokk, og hinsides vårt forpustede leie brettet storskogen seg ut for meg med sin evige utstrekning, sin uforstyrrelighet, sin stillhet og likevekt. Som jeg lengtet dit! Hvor hvert pust er en inderlig hvisken, hvert skjelvende blad er et støt i ditt dirrende hjerte. Hvor din elskov blir fullbyrdet gjennom de talløse tegn i naturen, i vind og vær: din klage forvandler seg til en trille som jubles fra tretopp til tretopp. Din lengsel besvares av solvindens varme. Og et gresstrå som bøyer seg tungt under væten og slipper sin vanndråpe ned i den tørstende mosen, slipper samtidig din sæd ned i dypet av selve Jordens umåtelige, varme buk . . . Slik ville jeg elske! Så høy og gjennomlyst og samtidig nær og altfavnende ville jeg at min kjærlighet skulle være. Slik skulle Edvarda bli min! Istedenfor hennes dyd ville jeg plukke fanget fullt av blomster og kjærtegne deres angende, vidåpne kronblad. Istedenfor vår svette seng ville jeg ligge i gresset og trekke inn i sommerens brunstige dufter. Og enheten med hvert spirende, pustende, kravlende liv omkring meg ville sette meg i en uendelig større ekstase enn noe jeg kunne håpe å oppnå ved en enkel kroppslig forening!

Jeg gjorde forsøk på å gjenvinne paradiset, elske henne ved symboler og tegn: strøk henne inderligere enn noengang før. Jeg slikket hendene hennes, stakk tungen inn mellom fingrene. Lot spyttet mitt renne i håndflaten hennes. Stakk min finger inn mellom leppene hennes og lot den romstere rundt i munnen, rundt tungen og tennene hennes. Hun likte denne leken, hikstet og lo og klemte meg enda tettere inn i sin krevende favn. Til jeg til slutt ga opp alt og bare stønnet mot halsen hennes:

— Tilgi meg! Vær så snill, kjære Edvarda, tilgi meg! Tilgi meg, tilgi meg, tilgi meg!

Så var det endelig som hun forsto at noe var fatt, og hun holdt meg og strøk over håret mitt og de våte kinnene kjærlig som en mor:

— Men hva er det da, kjæreste? Vil du ikke? Liker du meg ikke lenger? Har jeg gjort noe galt . . . ?

Hvordan skulle jeg få fortalt henne om min visjon om en elskov, ubundet av vår uheldige, pressede situasjon?

Et overveldet, fortapt uttrykk hadde gjort ansiktet hennes

enda yngre, øynene rundere, kinnene blankere. Munnen falt halvt åpen og jeg så at jeg elsket et barn, en engstelig, famlende, forsvarsløs småpike som søkte tilflukt hos meg. Og jeg ble så grepet av denne tanken, av å se henne slik, at jeg ikke kunne holde tårene tilbake og ville gjemme hodet dypt i dette myke fanget som hun så villig hadde tilbudt meg for et øyeblikk siden. Men så var stemningen plutselig snudd og hun trådte inn i en tilstand av anspent effektivitet, skolepiken som må passe klokken:

— Hvor sent er det blitt? Nei, gud, jeg må gå, jeg må skynde meg faktisk, så jeg ikke kommer for sent til den hersens mattetimen. Pappa er blitt så mistenksom, han ringer og sjekker at jeg er der . . .

Hun hadde fått på seg klærne igjen og dominerte det trange rommet. Jeg lå ennå på sengen, naken og dobbelt sårbar. Jeg ville holde henne tilbake, be henne bli litt til, ja gjøre hele dette møtet om igjen fra den kåte lille danseoppvisningen hennes av. Gjøre alt slik hun ønsket det. Elske henne slik hun i sine pragmatiske piketanker trodde en kvinne hadde krav på bli elsket . . . Men alt det praktisk nærværende i stemmen hennes gjorde meg stum. Hennes lyse, lette sommerklær, hennes blussende oppsyn som fylte værelset med sin ungdom, sin flyktige uangripelighet, gjorde at jeg bare fikk hvisket:

— Når . . .? Når . . .?

Og hun lo og knelte ved sengen, klemte meg, kysset meg fort og voldsomt og svarte:

— Når vil du. I morgen. Og i overmorgen . . . Jeg kommer! Jeg kommer!

Og så gikk hun. Til ham. Til matematikklæreren. Guttungen. Med lange, litt tunge og keitete skritt som hun ennå ikke forsøkte å binde til noe begrep om grasiøse bevegelser. Med bare hud og luft under kjolen, og en søt-syrlig duft av ung pike.

— Jeg kommer! hvisket jeg ut i rommet. Jeg kommer . . . !
Jeg kommer . . . !

19

— Dette har du aldri f-fortalt før, ihvertfall ikke med rene ord. Ser du hvor v-viktig dette er, at du skriver alt ned? Går i d-deg selv? T-tvinge deg til å hente alt frem?

Triumf. Ikke et ord om at det er han som tvinger meg. Han som befaler meg å skrive. Han som samler opp mine notater. Arkiverer dem. Analyserer dem. Og det går kaldt nedover ryggen på meg når jeg tenker på at mine betroelser, presset ut av meg av hans skråsikre, kunnskapsrike overtalelser, kanskje vil bli gjenstand for utlevering og diskusjon mellom ham og hans kolleger.

— Impotens . . . ! Der har du en viktig nøkkel. Et stikkord til forståelse av romantikkens mange omveier og tåketale: Svermeri. Platonisk kjærlighet . . . Hva var det du selv sa; «Hvert skjelvende blad er et støt i d-ditt d-dirrende hjerte»? Haha!

Han gir fra seg et kort, tørt latterstøt. Han har meg nå. Han har meg, og jeg knuger hendene om knærne og ønsker hvert ord usagt. Uskrevet. I god tro har jeg latt meg rive med. Føyelig som et krøtter har jeg dilet etter hans anvisninger og utlevert meg. Nå kan han feire seieren.

— Nå, ta da ikke sånn på v-vei . . .

Hans kvikke øye har vel konstatert hvordan det er fatt med meg. Nå må han glatte over. Han kan jo ikke risikere noe sammenbrudd. Han er tross alt ikke her for å forulempe meg.

Han reiser seg og gjør et tegn til at jeg skal gjøre det samme. Hans medlidende, muntre øyne følger hver bevegelse jeg

81

gjør, som om han plutselig så meg i et annet lys. Jeg skjønner at vi skal gå tur i parken. Det gjør vi ofte. Han vet hvor godt jeg liker det. Gå under trærne. Sparke vissent løv. Kjenne solen. Den varsomme septembersolen. Det hender at vi tilbringer hele samtaletimen opp og ned på stiene.

— Nå er det viktig . . . , formaner han mens vi går opp og ned de kjente stiene: N-nå er det ekstra v-viktig å gå videre. Ikke stoppe her. Bryte ned mer av m-motstanden. Lete seg videre inn til svarene på enda større gå-gåter . . .

Han roser meg igjen, sier at jeg gjør fremskritt. Jeg har ikke noe forsvar mot hans vennlighet. Jeg kan ikke avgjøre om den er ekte eller profesjonell. Like ydmyket og rasende som jeg følte meg for et øyeblikk siden, like takknemlig og hengiven føler jeg meg nå. Han ofrer av sin tid på meg. Han kommer hver dag. Jeg gleder meg til hans besøk. Hans lille stamming får meg til å føle meg ovenpå. Han er den eneste jeg snakker med. Han er den eneste jeg skriver til . . . Til gjengjeld gjøres det små innrømmelser, det lempes på reglementet. Jeg får posten min uåpnet som ethvert annet normalt menneske. Ingen bryr seg med hva jeg leser, eller når jeg slukker lyset . . .

— Litt til, sier han og ser alvorlig på meg. L-litt til, så skal du se vi kommer til bunns i dette . . .

Men hva mer er det å fortelle? En forelskelse tennes og blusser, og brenner en kort, salig stund noen sommeruker. Jeg tenker tilbake og rives med. Kanskje drømmer jeg mer enn jeg husker nøyaktige hendelser? Jeg føler meg utslitt etterpå, slik gale Glahn en gang følte seg utarmet av kjærlighet . . . Nei, jeg orker ikke skrive nå. Istedet griper jeg boken hun sendte og leser et avsnitt:

«Om jeg måtte få hende, skulde jeg bli et godt menneske, tænkte jeg . . . Om jeg måtte få hende skulde jeg tjene hende utrætteligere end nogen anden, og om hun også viste sig å være mig uværdig, om hun fandt på å forlange det umulige

82

av mig vilde jeg gjøre alt hvad jeg kunde og glæde mig over
at hun var min ... Jeg stanset, la mig på knæ og slikket av
ydmykhet og håp nogen græsstrå i veikanten, hvorpå jeg reis-
tè mig igjen».

Et avsnitt jeg har lest flere ganger før og trukket på skuld-
rene av, ledd høyt av: slikke gress-strå! Hvem kan være så gal?
Men nå i kveld vet jeg svaret; Glahn. Glahn var så gal. Jeg var
så gal på mitt verste. For hun kom jo ikke! Hun dukket ikke
opp. En dag gikk, og en kveld og en natt. To dager, tre dager!
Og jeg hadde til slutt brukt opp alle mine gode grunner og
kloke forklaringer på hva som kunne ha kommet i veien. Da
det endelig utpå ettermiddagen den fjerde dagen banket på
døren, løp jeg bort som i ørske og åpnet. Men det var Eva som
sto utenfor.

Hun virket sjenert og forbauset over å finne meg alene,
spurte om Mack ikke var der, han hadde bedt henne komme
til leiligheten og møte ham her. Jeg stusset litt over det hun
sa, men dette besøket var tydeligvis ikke noe påskudd. Han
hadde til og med gitt henne klokkeslettet da han skulle vært
her, halv fire. Nå var det kvart på.

Jeg ba henne komme inn, og hun slapp seg ned i lenestolen
med et tilfreds sukk. Hun hadde vært på farten i hele dag, i
butikker. Egentlig likte hun ikke å handle, hun syntes ekspe-
ditørene alltid behandlet henne nedlatende, men av og til
måtte det gjøres.

— Jeg har brukt altfor mange penger også, sukket hun
med en tilfreds mine. Han kommer til å bli rasende.

— Han har vel råd til det, svarte jeg.

— Visst har han råd! Hun begynte å rote i posene sine med
forte, trassige bevegelser, uten å se opp.

— Jeg tenkte forresten på deg idag, Glahn, sa hun, frem-
deles opptatt av posene: Jeg så denne her i et utstillingsvin-
du ... Hun holdt frem et lite lett klesplagg, en bluse eller
en skjorte i frisk, vårlig grønnfarge.

— Se på mønsteret, strå, ranker, blad ... Hele vårskogens frodighet. Det var da jeg tenkte på deg!

— Prøv den på, ba jeg. Nei, jeg ba henne ikke, det var ikke engang en invitt, det var en tillatelse. Så tydelig var det hva hun nettopp ønsket å gjøre.

— Takk, smilte hun. Jeg håpet du ville la meg få lov. Så reiste hun seg fra stolen og kneppet opp blusen hun hadde på. Jeg hadde trodd hun skulle gå ut på badet og skifte, men hun tok den av der hun sto, med en naturlig og grasiøs bevegelse snudde hun seg halvt bort fra meg, kastet blusen på sengen, og tok på den nye. Det hele tok noen sekunder. Så sto hun der i sitt tekkelige plisséskjørt og nye overdel og dreide seg langsomt rundt så jeg skulle få se. Som Edvarda hadde gjort den dagen hun kom til meg med sin villeste lengsel. Men i dag var det som Evas langsomme piruett la seg over den krevende eksponeringen av Edvarda som hadde plaget netthinnene mine dag og natt, og mildnet angeren, døyvet smerten. Jeg så på Evas smilende, nesten drømmende ansikt der hun blygt viste frem dette klesplagget som falt så kledelig om den slanke overkroppen hennes, og kjente at jeg falt til ro: Det var bare oss to i rommet.

Inntil Mack gjorde sin entré:

— Hallo, hallo. Unnskyld meg, jeg ble litt forsinket ...

Han så forventningsfullt fra den ene til den andre av oss som om han hadde ventet å gripe oss i noe uforutsett, og til min ergrelse kjente jeg at jeg ble forlegen under hans blikk: for bare noen minutter siden hadde jo Eva, hans kone, stått der rett foran meg med naken overkropp. Det opprørende var at jeg følte det som om han skulle ha likt det, ja storskrattet av tilfredshet om han hadde visst om hennes lille striptease.

— Hva har du fått på deg der? Et helt gartneri? Du som ikke kler grønt, se på deg selv — du blir blek som et lik. Og den kostet vel flesk, kan jeg tenke meg ... Nei, herregud, ikke nå! Jeg får tidsnok vite prisen, hahaha! Hun forteller alle

84

at hun ikke liker å handle, men du skulle se henne i en butikk!

Så var det som han med ett mistet all interesse for henne og vendte seg helt mot meg. De få gjenstandene jeg hadde klart å spore opp siden sist, hadde vekket hans nysgjerrighet. Han tok krystallglassene forsiktig ned fra hyllen hvor jeg hadde stilt dem opp. Han skrøt av kopperstikket. Han oppførte seg som om dette var ting han selv hadde vært på jakt etter i årevis:

— Jeg visste du hadde et godt øye, Glahn. Dette er utmerket. Utmerket! Kanskje vi burde utvide samarbeidet, hva? Jeg trenger en god konsulent. Jeg har jo fortalt deg at jeg tenker på nye vareslag, gaveartikler. Der er det smaken som teller ... Nei, nei ... Jeg mener ikke nå med en gang, ta det med ro! Men tenk på det ...!

Hun hadde samlet sammen handleposene sine og sto klar til å gå. Det var umulig ikke å merke hennes utålmodighet i det vesle rommet. Leppene sluttet effektivt sammen, hun var blitt trang over neseroten, og noe falmet og slitt hadde lagt seg rundt øynene. Men han ga seg god tid til avskjeden, trakk frem lommeboken igjen og ville honorere meg rundelig for min siste innsats. Og idet han var på vei ut av døren, kom han på enda noe og snudde seg en siste gang:

— Ja, og så må du komme på St. Hansfesten vår. Hvert år har vi stort selskap med bål og det hele. Hele gjengen blir skuffet om du ikke kommer. Det har gått gjetord om «kjærlighetsjegeren» ... Og nakenbading er «in», særlig ut på kvelden. Hahaha ...!

Jeg hørte Evas stemme nede i trappen. Han snudde seg irritert:

— Jada ...! Må se å komme oss hjem og sjekke om jentungen er tilbake fra timen. Hun er helt på styr for tiden, den ene dagen murer hun seg inne med bøkene, den neste ser vi ikke snurten til henne. Herregud ...! Om jeg bare visste at

85

det var studenten. Men hvem vet hva jenter i den alderen kan finne på . . . ?

20

Så fikk jeg uventet hjelp av en tilfeldighet. Jeg traff henne, uventet, ute i byen. Hun kom gående nedover samme fortau. Det var kveld. Jeg gikk gatelangs og kunne ikke falle til ro, enda jeg følte meg matt av mangel på søvn. Om dagen fylte oppussingsarbeidene hele gården med larm. Om natten var det mitt eget hode som larmet.

— Glahn . . . ! ropte hun med det samme hun fikk øye på meg, det lød som et rop om hjelp, en bønn om tilgivelse. Så hadde jeg armene hennes om halsen og hennes kinn hardt mot mitt slik det var hennes hardhendte vane. Alt var godt. Alt var godt. Jeg lyttet til hennes forklaringer, hvorfor det hadde vært umulig for henne å komme, hvordan de overvåket henne, både faren og moren, særlig han, forsøkte å spørre henne ut når hun hadde vært borte en kveld, tvang henne til å lese i timesvis, kjørte henne til og fra matematikktimen . . . Jeg hørte på alt og jeg forsto, enda jeg hadde Macks ord i øret: «. . . andre dager ser vi ikke snurten av henne . . .» Hvor var hun da? Nei, det var selvsagt ham, hans tyranniske sjalusi, hans karakteristiske overdrivelser! Den tunge kroppen hennes presset sin inderlighet inn i hver fiber av meg. Hvordan kunne jeg tvile? Hun var her, her hos meg. Hun var min . . . ! Det strøk en varm vind over oss, jeg begrov mine tvil i halsgropen hennes og ønsket meg tilbake til vårt gjemmested hvor vi hadde tilbrakt våre evige sekunder i stønnende, tett sammenfiltret uskyld. Før tiden var begynt å løpe ut som sand mellom fingrene.

Men hun kunne ikke bli med meg. Hun var oppstaset — på sin sedvanlige sjaskete måte, en uinntagelig utstillingsdukke av krøllete klesplagg tilfeldig slengt utenpå og over hverandre. Hun hadde en avtale med noen venner. De skulle bare ut, prate og hygge seg litt. Hun ville så nødig skuffe dem. Jeg forsto da det?

Javisst, jeg forsto. Når jeg kjente armene hennes om halsen. Oppe på mine tinder forstår jeg og tilgir jeg alt. Jeg visste også plutselig at vi sto nettopp her i strøket der diskoteket lå hvor de pleide å gå ut og danse. Hun hadde pekt det ut for meg en gang. Men når jeg kjente armene hennes klemme om nakken min og presse ansiktet mitt inn mot hennes, fikk denne vissheten ingen konsekvens.

— I morgen da . . . ?

— I morgen må jeg være hjemme og lese. Jeg måtte love det for å få gå ut i kveld . . . Så var det som hun kom på noe: Når jeg går ut med *dem* en gang iblant, så er det jo mindre sjanse for at de skal få vite om *oss* . . . ! Og i overmorgen må jeg nok være hjemme og hjelpe til og gjøre i stand til festen. St. Hans er jo på fredag, bare tre dager til. Og du kommer, ikke sant at du kommer?

Jeg sa ja. Jeg sa ja med en gang, jeg som hadde vært fast bestemt på ikke å komme: Ikke flere fester i Macks hvite villa. Ikke mer høflig, pikant oppmerksomhet omkring min ukurante person. Ikke flere sultne, forskrekkende øyekast fra pyntede fruer som hang i sin nedlatende ektemanns arm som i en livbøye! Men jeg sa ja: Ja, jeg kommer! Og da hun lo takknemlig og gjentok sitt spørsmål, gjentok jeg løftet og vokste med hvert kyss hun ga meg til takk, og så meg selv enda en gang ri ut til dem på en høy vind av ubundethet, stige ned, være iblant dem en stund, og så begi meg videre på min egen vei. Slik skulle Glahn ta seg ut, slik skulle han te seg! Jeg var som beruset og merket ikke at denne sinnstilstanden nå var blitt avhengig av bevisstheten om hennes følelser for meg, hennes tanker omkring meg, ja enda mer uunngåelig konkret: hennes nærhet.

Men jeg merket det da vi hadde sagt vårt lange adjø, da jeg ikke lenger var omsluttet som av en varm sky av pikepust, latter og hviskende kyss, og hun fjernet seg, snudde seg, vinket og kastet et kyss slik hun pleide å gjøre det, keitet og derfor så ekte og uforfalsket at den fysiske lengselen etter henne ikke ble til å holde ut, nå bare noen sekunder etter vår siste omfavnelse. En lengsel som klemte mitt galopperende hjerte som skulle bære meg gjennom to hele dager og så ut til Sundøya stolt som en ridder. Mitt ensomme galopperende hjerte.

— Jeg fryser bestandig, sier hun, men kler lydig av seg. Det går fort. Når hun står der, ser jeg hvor spinkel, nesten mager hun er. Brystene hennes er små. Ribbena spenner sin skjøre bue ut under huden og ligner brystkassen på en fuglehund. Hun har et arr under navlen som går på skrå ned mot skrittet. Hun har nesten ikke hår mellom bena. Kraftige blåmerker lyser på låret og armene. Knærne slår sammen. Hun skjelver i den varme gløden fra parafinlampen i hjørnet, lysskjæret kjærtegner henne, stryker vekk de fleste skrammer og skygger fra et hardt, usunt liv.

— Skoene også?

De høyhælte røde skoene har hun ikke tatt av. Det forrige paret hun tok av seg her, har jeg kvittet meg med. De gikk i søppelcontaineren nede i gården.

— Ja, skoene også.

— Av og til jobber jeg barbent. De synes det får meg til å se yngre ut. Mange av dem liker det. Så lyver jeg litt på alderen, og så gråter de litt og tenker på døtrene sine.

— Har du løyet for mange i kveld?

— Ja mange ...

Det er en glød i øynene hennes i natt, en flytende brann som ikke viker for blikket mitt. Hun snakker mer, og ordene hennes snubler, og lener seg mot og faller inn i hverandre. Slik hun måtte lene seg inntil meg på veien hit som for å stabilisere en lav, langsom flukt over fortauet. Dette intense og samtidig vektløse nærværet gir drømmene mine fritt spillerom:

— Legg deg her . . .

— Hvor da?

— Her foran meg, på gulvet på kne . . . Helt ned, slik . . .

Jeg stirrer på den hvite ryggflaten hennes, nakkens engstelig anspente strenger som strammer seg helt opp i hårroten, skulderbladenes magre vingefester, ryggsøylens underdanige bue. Jeg stryker henne med hånden. Hun rykker til før hun slapper av, som en Setter, nervøs og alert. Jeg klapper den glatte huden, jeg lar fingrene leke i nakken, i hårprakten hennes, stryker henne vennskapelig nede på smalryggen, klapper henne på baken. Får henne til å logre.

— Så må du slikke meg. Her, på hånden . . .

— Er du pervers?

— Nei, bare utslitt. En hund slikker alltid sin herres hånd når den vil vise ham sin hengivenhet. Gjør det deg noe å være hund for en natt?

— Nei, jeg er vant til det.

— Da må du slikke meg . . .

Pusten hennes er varm og anstrengt mot håndflaten min. Tungen er myk og søkende mellom fingrene. Jeg kjenner jeg faller til ro.

— Jeg har vært her for lenge, sier hun idet hun skal gå. Det er ikke bra. De passer på meg. De kan være farlige . . . Herregud, hvem kunne true et så hjelpeløst og ufarlig vesen? Jeg fylles av ømhet og medynk med henne. Jeg vil takke henne for roen hun ga meg.

— Kom med betalingen nå, så skal nok jeg også falle til ro, svarer hun. Roen min koster mange penger og kan være risikabel å oppdrive. Jeg gir henne mer enn hun ber om. Hun

89

takker meg ikke, ser bare på meg med brennende øyne. Jeg føler overmotet stige i meg og vil gjøre en avtale om neste møte nå med det samme: Imorgen, nei bedre, på lørdag, dagen etter St. Hans. Samme klokkeslett.

— Det er i orden det, svarer hun. Om jeg lever så lenge . . .
Jeg ler av hennes kyniske ord som av en morsomhet. Hennes hjelpeløshet, hennes hundeaktige utleverthet, pengene hun ennå holder i hånden, panten på at hun i alle ting må føye seg etter min vilje, gjør meg opphisset. Jeg holder enda et par sedler frem for henne og ber henne bli en stund til . . .

21

Tenker på meg. Tenker ikke på meg . . .
Selvsagt vet jeg at jeg bør holde meg unna, men torsdagen, dagen før St. Hansaften tar ingen ende før jeg sitter på bussen og humper og skumper utover hovedveien sør og vestover med Askers velkjente åser rett forut, svarte under en skybanke som bygger seg opp i en lummer og svulmende ettermiddag. Så vi skal få dårlig vær til festen? Av en eller annen grunn gjør tanken meg munter til sinns. Jeg er så ivrig etter å komme av bussen at jeg står i midtgangen de siste ti minuttene av turen. Det har vært som en dragning i meg hit ut hele dagen. Jeg nesten småløper veien ned fra holdeplassen mot tettstedet. Anlegger en hverdagslig mine idet jeg passerer samvirkelaget, banken, frisørsalongen, bensinstasjonen, et forretningsbygg med bilutsalg i første, kontorer i annen og tredje etasje, en stor åpen plass med campingvogner på utstilling, barnehage, fotballbane og et serveringssted. Først idet jeg dukker inn i Solstiens skjermende allé, blir jeg slått av meningsløsheten i denne utflukten. Nøyaktig som første gang

90

da jeg spaserte nedover denne veien, blir jeg klam av panikk, av usikkerhet på hva jeg egentlig ønsker å utrette her: Hva skal jeg si, hvordan skal jeg te meg om jeg støter på Mack eller Eva — enn si Edvarda? Snu, snu før du dummer deg ut enda en gang! Men selvfølgelig snur jeg ikke. Jeg dras mot villaen som en bit jernfilspon mot en magnet: Tenker hun på meg? Tenker hun på meg . . . ?

Villaen ligger der lukket og stille. Garasjedørene stengt. Ingen biler i oppkjørselen. Ingen å se. Så er det vel tidlig på ettermiddagen, Mack er på kontoret, Eva ute og handler, og Edvarda . . . ? Men jeg vet at det ikke er slik. Klokken er over fem. Jeg behøver ikke se etter engang. Det er etter skoletid, etter kontortid. Innkjøp skulle vært unnagjort. Det skulle vært stor aktivitet her nå med forberedelser til festen!

For den utrygge elsker er tomhet og stillhet ikke en trøst, men en trussel: Nå dras jeg mot det lukkede huset av trang til å finne ut noe definitivt, selv om det jeg måtte oppdage skulle bli til min egen fordervelse. Skrittene mine på grusen gir gjenklang i husfasaden. Som en tyv lister jeg meg bort til et vindu og kikker inn. Ingenting, en slags garderobe med speil, en kommode, fottøy på gulvet, klær på en lang rekke hengere. Jeg kjenner igjen en av hans lyse sommerjakker. Det neste jeg prøver er kjøkkenvinduet. Orden og ryddighet. En tekopp med skål på et hjørne av kjøkkenbordet. Avisen ved siden av. En gryte med lokk på den blanke komfyren. Et oppvaskhåndkle hengt over den trehvite stolryggen nærmest tekoppen. Et kjøkken i hvile. Et stilleben. I stuen ser jeg at en pute som er lagt opp i den ene enden av sofaen har et dypt avtrykk i midten, som av et hode, eller en albu. En rød kanne er etterlatt på et lavt bord ved oppsatsen med stueplanter. Et tomt glass på salongbordet. Under sofaen, et par turnsko. (Hennes!) Søvn. Ubevegelighet. Jeg går rundt huset enda en gang, kikker inn der jeg allerede har kikket inn, suger i meg de små, små sporene etter dem, føler en lengsel så sterk at den

91

nesten ikke er til å bære: hvor gjerne skulle jeg ikke ha lagt hånden min i avtrykket i puten, holdt om tekoppens vide runding, listet en finger ned i lommen på Macks hvite jakke! Som jeg plutselig visste helt klart at jeg ønsket å gjøre dette! Som jeg savnet dem! Som jeg elsket dem alle tre! Her i min ensomhet, med bare noen utydelige avtrykk etter deres aktiviteter, bare med skyggene av deres nærvær her i de velkjente omgivelsene, kunne jeg tenke en slik umulig latterlig tanke. Den eneste synlige forberedelsen til morgendagens store fest så jeg nede ved stranden. Et bål var bygget opp. En uryddig stabel av kvist og kvas, skrapmaterialer, papirsekker, rekved, et og annet ødelagt møbel, øverst tronte en stol med tre ben hvor stoppen i setet tøt ut. St. Hansbålet, sentrum for midtsommerfesten. For et snuskete, tarvelig syn dagen før!

Så smalt det i en dør! Jeg hørte raske skritt over grusen, et glimt av Macks hvite jakke. Garasjeporten løp opp med en rumling. En motor startet, og jeg skimtet så vidt Macks gule Mercedes idet den skjøt fart nedover oppkjørselen. Han hadde altså vært hjemme! Men hvorfor så lydløst, så hemmelighetsfullt? Sammen med hvem? Og hvorfor løp han avgårde på denne måten, som om han rømte? Tenkte jeg mens jeg snek meg mot porten og prøvde å holde meg skjult bak hagebusker og trær. Jeg kjente sjalusien rive i meg. Ja, sjalusi! Ikke mot noen bestemt. Det var en følelse vakt av alt som foregikk her i huset som jeg ikke kjente til.

Knapt var jeg ute på veien før jeg igjen ble skremt opp, denne gang av en varebil som kom farende nedover mot meg, bremset opp, skrenset ut til høyre og klemte meg helt inn mot hagegjerdet, før den tok en brå venstre sving inn porten til nummer 18. Et firmanavn flimret tett foran øynene mine: *Smithsons catering service*.

Dette var altså festforberedelsene! Enda et øyeblikk ble jeg stående og følge varebilen med øynene der den stanset foran hovedinngangen så grusen sprutet, to menn i hvite jakker —

jeg innbiller meg at de var kledd i kokkehabitter — sprang ut, ringte på, og jeg så døren åpne seg og Evas lyse hode komme til syne.

Så hastet jeg oppover veien.

22

St. Hansfesten, lysets store fest, ble for meg et fall ut i mørket.

Jeg både ønsket og ikke ønsket å få Edvarda på tomannshånd. Redd for å se distraksjonen, likegyldigheten i øynene hennes når jeg tiltvang meg et minutts samtale, hadde jeg likevel et håp om at noen øyeblikks nærhet skulle kunne gjenskape fortryllelsen. Det krevde så lite: et blikk, et hemmelig håndtrykk, et streif om enn bare av pusten hennes. Vårt siste, korte møte hadde inneholdt både løfter og unnvikelser. Men hun var alltid et annet sted, opptatt med sine plikter mot gjestene. Sto jeg ute på terrassen, klang latteren hennes i stuen. Drev jeg så liksom tilfeldig inn i stuen, så jeg ryggen av henne idet hun forsvant ut på kjøkkenet etter et nytt brett canapéer, nye glass, nye boller med isbiter. Alle skrøt i høye toner av Smithsons mat. Jeg hadde ingen matlyst og drakk tett. Mack overgikk seg selv i selskapelig jovialitet og lot latteren runge.

Medisineren var der, Marius, matematikklæreren. Hans studentgløgge slagferdighet hadde funnet en takknemlig tilhørerskare og latteren smalt som skurer av småsten mot et bølgeblikktak. Jeg sluttet meg til. Jeg lo med og passet på å stille meg så nær ham som mulig, slik at hans småvokste, tykkfalne skikkelse skulle krympe for øynene på hans beundrere. Det var sommerens reiseplaner han snakket om nå. Selvsagt var pakketurer et tilbakelagt stadium, og interrail ble for slitsomt og fotgjengersk. Nei, en kjapp liten Apex til Athen, og så lokale fergebåter omkring fra øy til øy, det var mer akseptabelt. Det vil si, om han hadde hatt råd, så skulle han ha chartret seilbåt der nede og dratt på privat cruise mellom øyene, ikke bare de nedrente greske øyer, nei, det var uoppdagede perler i det tyrkiske arkipelaget ...

Å ja! Tenk på det, tenk bare reise ut på lykke og fromme! Det var Edvarda som var kommet til og hadde overhørt siste del av hans utlegning. Hun så henført ut. Kledd i strålende hvitt. Hun sto klar til å reise med ham hvor det så skulle være! Og så brøt Mack inn, la en tung hånd på skulderen hans og forkynte med tordenstemme:

— Det er godt! Hvis dere to viser meg brukbare matematikkresultater på denne unge damens vitnesbyrd, skal dere få den turen av meg. Jamen skal dere det! Og Edvarda, like forbløffet som alle andre, kastet seg om halsen hans for å takke, mens han forklarte dem som sto nærmest hvilken utmerket privatlærer denne guttungen var, og hvordan Edvardas prestasjoner hadde forbedret seg de siste ukene. I spisestuen var møblene ryddet til side for å skaffe danseplass. Jeg danset med en, så en annen, det var likegyldig. Til slutt ble jeg budt opp av den lille lubne fruen som hadde vist meg slik interesse og senere slik nedlatenhet den gangen vi spiste lunsj på terrassen.

— Jasså, jegeren jakter igjen ...? Hånden hennes lå ikke på skulderen min, den var allerede på vei opp i nakken.

— Du var mer pratsom sist vi møttes, og mer hardhendt også! Hun lo oppover og viste en gullkrone. Nå klemte armene hennes trygt omkring smalryggen min og magen og hoftene hennes roterte mot kroppen min som en slipestein.

— Ikke sjener deg, jeg tåler det nok ...! Under hendene kjente jeg det samme myke, villige kjøttet. Hun la kinnet mot brystet mitt. Jeg speidet omkring for å se om noen la merke til oss, men det lot ikke til at vi vakte oppsikt. Bare Edvarda sendte oss et langt blikk, og jeg kjente svetten rulle på brystet og nedover lårene.

— Skal vi finne en krok for oss selv? hvisket hun. Og være litt lykkelige sammen ...?

— Jeg trodde du var her med mannen din? fikk jeg endelig mumlet frem. Hennes pågåenhet fylte den tette kontakten med ubehag, og jeg lente meg bakover som et påskudd for å fjerne meg litt, selv om jeg dermed måtte se ned i ansiktet hennes. Hun kikket opp, blunket til meg og festnet sitt grep om smalryggen min som en skruestikke.

Det var Mack som reddet meg. Han kom da musikken stoppet, trakk meg til side og sendte den lubne av gårde til andre jaktmarker.

— Hei hei, hvordan går det? Du holder dampen oppe ser jeg ...? Det var som han hadde vanskeligheter med å få slått an selskapstonen, enda ansiktet hans fortalte at han hadde annet på hjertet:

— Det er Eva, mumlet han, mens han lot de nervøse hendene fylle opp glassene våre på nytt.

— Hun har stengt seg inne. Jeg vet ikke hva jeg skal gjøre ... Jeg tenkte du kanskje kunne ...?

Men hva kunne jeg gjøre? Og hvorfor spurte han meg? Det måtte være flere av de tilstedeværende som sto ham nærmere enn jeg gjorde, som kjente dem begge to mye bedre. Hvorfor kom han til meg med dette? Armen hans om skulderen min som alltid når han ville påtvinge meg sin fortrolighet, sin varme, tunge, fysiske nærhet:

— Hun setter kroken på døra for meg, Thomas ... Jeg når ikke inn til henne ... Vi har ikke ... På måneder ...! Du skjønner ...? Nå har hun låst seg inne. Jeg vet da fanken ... Jeg tenkte du kanskje kunne snakke med henne. Hun liker deg. Du har alltid hatt draget på damene du, Thomas ... Selv i sin oppløste tilstand måtte han dulte meg ekstra i siden og gi meg et skjevt, kameratslig flir, enda han aldri hadde visst noenting om mitt kjærlighetsliv. Mens han snakket, så jeg inn i spisestuen hvor Edvarda danset med studenten. I sine hvite selskapssko var hun høyere enn ham, og måtte dukke hodet litt for å få lent det mot skulderen hans. De høyhælte skoene hadde hun tatt på for min skyld. Men hvorfor unngikk hun meg? Hånden hans lå på smalryggen hennes, en slapp gest full av ungdommelig likegyldighet, uten følelse for kroppen under det lette stoffet, det svaiende, smidige beltet hvor ryggens reisning møter hoftenes fylde. Hvor mange ganger hadde jeg ikke berørt henne akkurat der, latt hendene mine i et grep fatte ryggtavlens fasthet og bakendens levende tyngde? Hvor mange ganger hadde jeg ikke latt fingrene løpe langs ryggradens bue, og latt dem fortsette ned til benas deling, beundret det grasiøse korset som romperundingenes vannrette fold over lårene skapte med rygglinjens loddrette bølge? Hvor ofte hadde jeg ikke trykket ansiktet mitt mot dette korset og hvisket min tilbedelse dit inn hvor hennes liv banket tyngst og varmest, hvor leppene hennes dirret så åpne og forsvarsløse mot mine?

Og nå unngikk hun meg, og en unggutts hånd dinglet skjødesløst over kjolestoffet der kvinneligheten har selve sitt magiske utspring ...!

— Gå og snakk med henne du ...! Det var Mack igjen. Hans arm om min skulder i et stadig mer insisterende, bydende grep, som om han ville føre meg inn i noe forjettende, ukjent, med makt.

— Du skjønner deg på kvinnene, Glahn, det har jeg aldri gjort. Du fascinerer dem. Det er fanken ikke en dame til stede her i kveld som ikke ville ha tatt en liten tur ut i busken med deg. Hva ...? Hahaha ...!

Men blikket og gestene hans omfattet ikke Edvarda som nå var forsvunnet fra synsfeltet vårt. Men kunne de omfatte Eva? Var det dét alt dette betydde?

— Gå nå . . . Siste dør til venstre i gangen ovenpå! Han ga meg et dytt som nok skulle være vennskapelig, men som hans heftighet og fortvilelse la altfor mye kraft i, så jeg nærmest tumlet mot trappen opp til annen etasje.

Midt i trappen møtte jeg Edvarda.

— Jeg har nesten ikke fått snakket et ord med deg i hele kveld, sa jeg, og måtte famle. Hun hadde stanset to trinn ovenfor meg, og sto der tronende som en dronning i sin hvite kjole. Som en brud.

— Du har jo vært så opptatt, svarte hun og så forbi og over skulderen min, i fjern konsentrasjon, som om hun sto til rors på en skute som pløyde Egeerhavets blå bølger.

— Jeg liker kjolen din . . .

— Takk . . .

— Får jeg neste dans?

Nå lo hun og så rett på meg, men blikket hennes var kjølig:

— Du snakker virkelig som en gammel bok, du Glahn. Vil du ha neste dans, får du komme og ta den, da, vet du . . .

Jeg orket ikke bli stående slik og se spotten kjempe med likegyldigheten i ansiktet hennes, grep hånden hennes for å rykke henne de to trinnene ned til meg, få henne nær nok til å kjenne kroppen min, lengselen, styrken. Men hun var uinntagelig, gjorde seg fri med en enkel bevegelse, tømte all kraft ut av meg med en overbærende, utålmodig mine:

— Dessuten skal vi gå ned til stranden nå. Noen tenner bålet. Og jeg må ned på kjøkkenet og gjøre istand til nattmaten . . .

— Maten ja . . . Nydelig mat forresten! Har du laget den selv, eller har moren din hjulpet deg kanskje? Jeg forsto det slik at du har vært fullt opptatt de to-tre siste dagene . . . ?

Nå var det sorg og sinne i øynene hennes:

— Herregud Glahn, må du alltid være en sånn jævla vaktbikkje? Jeg kan ikke røre meg uten at du står der og gneldrer. Hva venter du av meg da? At jeg skal føre loggbok for deg?

— Unnskyld, Edvarda . . .

Jeg hadde gått for langt. Det var klart. Jeg hadde ødelagt alt. Det lille som var igjen å ødelegge.

— Unnskyld, jeg mente ikke å . . .

— Jeg må virkelig gå, avbrøt hun og seilte forbi meg ned trappen.

Innerst i gangen til venstre . . .

Men før jeg rakk å banke på døren, gikk den opp, og Eva kom ut.

— Kommer *du*? Hun så ut som hun pleide, velstelt, blid, ingen spor av oppløsning eller krise. Men under den forekommende vennligheten dirret en uro som gjorde at jeg syntes jeg så henne for første gang. Hun bar en dukke i armene, en tøyfigur nesten halvt hennes egen størrelse.

— Jeg måtte få denne ferdig, forklarte hun. De skal snart tenne bålet. Vi kan ikke ha St. Hansbål uten en ordentlig heks, kan vi vel?

Dukken var kledd opp i fargeglade plagg som ga et muntert, karnevalsaktig inntrykk, inntil jeg plutselig kjente igjen en bluse med mønster av sammenflettede planter i alle sommerens grønnfarger.

— Før i tiden brente de ulydige kvinner, sa hun, og øynene hennes som ellers alltid vek bort i et svakt, unnskyldende smil, ville ikke slippe.

— Det var nesten enklere det . . .

Nå ante jeg plutselig dybden i dette ubehaget som lå under den alltid elskelige, tjenestevillige minen.

— Du Glahn . . .! hvisket hun, og intensiteten i stemmen hennes fikk korridoren til å lukke seg om oss som et mørkt, intimt værelse hvor vi sto tett sammen, bare vi to alene:

— Glahn, Glahn . . . Så det ble altså du . . .

Det fantes ikke skygge av tvil eller nølen i stemmen hennes, hun var forandret, rolig, avveiet og direkte:

— Du skjønner, de siste dagene har han stengt meg inne.

Han er livredd for at jeg skal løpe på byen og være utro. Han holder meg innelåst her! Han sa . . . hun strøk seg lett over pannen som om hun ville vifte bort et uhyggelig syn: Han har faktisk sagt at hvis jeg på død og liv skal ha meg en elsker, så skal han finne en til meg og bringe ham hit. Han vil ha kontroll med dét også . . . Et øyeblikk smilte hun igjen sitt triste forsagte smil og ristet på hodet som om hun hadde vanskelig for å tro på innholdet i sine egne ord. Nedenunder var det noen som ropte, og korridoren brettet seg ut i sin fulle lengde igjen. Vår stilling her oppe var utsatt og tvetydig. Men hun flakket ennå ikke:

— Derfor, Glahn! Derfor var det han brakte deg med seg hit ut. Skjønner du? Det var du som ble prinsen som kom frem til tårnet. Nei, unnskyld meg . . . Hun ristet på hodet og det kom en tåke for blikket hennes: Det høres jo latterlig ut. Men slik drømmer en innestengt kvinne. Derfor . . . Jeg forlanger ikke noe til gjengjeld, bare du lar meg få elske deg. Gi meg ditt ja til det, før jeg løper ned og brenner heksen . . .

Kroppen hennes var vever og smidig i armene mine. Grepet var fast. Det var ingenting nølende eller forsagt i hennes omfavnelse, enda den etterlot meg med en følelse av ømhet, en mild salig hengivelse som truet med å ta makten fra meg, bokstavelig talt slå bena under meg. Da hun plutselig rev seg løs og sprang ned trappen med sin groteske heksedukket vaiende over skulderen.

23

Jeg lusket unna, holdt meg i utkanten. Da de helte parafin på og bålet flammet opp, trakk jeg meg bort, snudde ryggen til. Jeg orket ikke se dukken ta fyr. Evas ord og hennes omfavnelse huserte i hodet mitt, i hele kroppen min.

Samtidig hadde jeg sett studenten stå der tett bak Edvarda med begge armene rundt henne, begge vendt mot bålet med vidt åpne blikk og ansikter farget opphisset røde av flammene.

Jeg dro meg unna. Gikk målbevisst opp mot terrassen som om jeg hadde glemt noe der oppe, en jakke, whiskyglasset mitt. Men det var bare for å få lagt litt avstand mellom meg selv og bålbeundrernes ekstase. Da lød plutselig Macks lattersprengte stemme fra dypet av en terrassestol:

— Du greidde det, Glahn! Jaggu greidde du det! Du lokket henne ut. Ikke dårlig . . . Ikke dårlig det, nei . . .

Jeg mer hørte enn så hvor full han var. Det raskt voksende skjæret fra bålet lot flammene flakke over terrassen og husveggen bak. Men han satt i bortvendt skygge.

— Du er en sjelden mann du, Glahn, fortsatte han og det var vanskelig å avgjøre om det ennå var den anstrengende lattermildheten som lå og vibrerte under de vennlige ordene, eller en annen og dypere uro:

— Jeg har planer med deg, vet du det? Først tenkte jeg at jeg burde sende deg bort, få deg avsted på trygg avstand. Hva hadde du sagt til å bli min representant, hva? Innkjøpssjef for gaveartikler, eksotiske ting laget i Den tredje verden? Håndarbeider, smykker, brukskunst . . .? Du har et godt øye, Glahn. Du har et instinkt for hva folk liker. Du får makt over folks *fantasi* . . . Latteren hans gikk over i noe halvkvalt som lignet et hosteanfall.

Mot min vilje var blikket mitt blitt trukket mot lyset nede fra stranden. Av og til flakket menneskeskygger over den hvite veggen. Det klirret i is og glass før han fortsatte:

100

— Hvordan ville du likt deg i forretningslivet, hva? God lønn og fri reise hvor du ville i verden, Afrika eller Østen, hva? Du som er jeger kunne jo lagt inn en liten safari, skutt deg en tiger eller to, hahaha . . .! Fått med deg et par innfødte jenter i teltet! Jo, det ville nok ha vært lurt å sende deg avgårde til fjerne strøk. Men begavelsen din kan jo brukes til andre ting også.

Nå lød høye rop nede fra stranden. Flammene glefset opp i den nattbleke himmelen. Noen applauderte. Noen startet en allsang. Jeg forsto at dukken hadde tatt fyr, og at St. Hansfeiringen gikk mot sitt klimaks. Nå var også Macks skikkelse opplyst og jeg så hvordan ansiktet hans var fordreid av alkohol og sinnsbevegelse:

— Der brenner de heksa, Glahn! hvisket han. Der brenner de heksa . . . Og stemmen brast og ansiktet hans gikk sakte i oppløsning som om han hadde brukt sine siste krefter på å holde oppe sin mine av selskapelig jovialitet, av styrke, autoritet og indre struktur, og nå ga opp alt, og lot seg overmanne, lot ansiktstrekkene oversvømmes av fortvilelsens langsomme flo.

En hvit skikkelse hastet opp stien. Jeg løp til og stanset henne:

— Hvorfor kan jeg ikke få snakke med deg?

— Herregud, står du virkelig her og passer meg opp?

— Du unngår meg hele tiden. Jeg ville bare snakke med deg.

— Jeg har ikke tid, jeg skal hente noe . . .

— Bare et øyeblikk! To ord . . .!

— Etterpå. Marius glemte kameraet i bilen. Vi vil gjerne ta noen bilder før bålet brenner ned.

Så. De ville gjerne ta bilder til minne om denne kvelden.

— Ja, det er jo klart at han ikke kan hente kameraet sitt selv . . .

— Du er virkelig ubeskrivelig!

101

— Men la meg da for all del ikke forstyrre et så viktig ærend!

Kanskje det likevel var noe i ansiktet mitt, eller stemmen, som stanset henne, som fortalte henne at en streng var i ferd med å briste og at noe for alltid gikk tapt.

— Hva var det du ville snakke med meg om som hastet slik da? Hun var ikke kald. Hun var ikke avvisende. Hun brydde seg om meg ennå. Hun var bare ung, adspredt, omsvermet, med St. Hansbålets glød i kinnene og den fødte selskapsdames omsorg for gjestene. En kjær gjest. Og jeg holdt ikke ut å se henne slik!

— Nei, når jeg tenker meg om, så var det egentlig ikke noe særlig. Jeg lurte bare på om du hadde husket å ta på deg truser idag, eller om du hadde tenkt deg full frontal eksponering, når du nå får hentet dette kameraet ...?

Et øyeblikk sto hun bare rett opp og ned som en høy, hvit støtte på hagestien. Så samlet hun seg og løp, mens et rop, liksom en jammer ble hengende etter henne, et ekko av hennes rasende, fortvilte blikk:

— *Din drittsekk ...!*

Så var det endelig slutt! Alt var over, flukt var det eneste nå, legge så stor avstand som mulig mellom meg og den hvite villaen, komme meg ut av denne trolske hagen med alt dens forførende villnis av prydbusker og dekorative kratt, smygende stier, tunge trær som hadde fått stå som i mørkeste skogen, og kjøttfulle bedblomster som lå der i klaser hvor jeg trådte, med sine åpne lepper og sugende tunger. Bort! Vekk fra det hele! Jeg stavret noen hjelpeløse skritt og kjente hvordan all kraft forlot meg, jeg ville aldri nå frem til porten og ut på veien, måtte bare kaste meg ned bak en busk, ut av syne, med hivende pust og hamrende hjerte, utmattet av sorg. Jeg kjente smaken av gress mellom tennene, og en dypere, mørkere, mer brunstig aroma nedenunder, av jord. Jasminbuskens

tunge kvinneparfyme ség kvelende ned over meg, og jeg viss-
te, trass i all fornuft, at jeg likevel ikke ønsket å løpe avsted
og forsvinne, fjerne meg, bare bli intet som en mytisk figur,
et haugtroll i lydløst ritt på sin svarte bjørn, inn mellom tre-
stammene, oppslukt av halvmørket. Borte. Overlate dem alle
til seg selv og sin naturlige skjebne. Jordbakkens lumre kraft
trakk meg til seg, grønsken jeg åndet inn bedøvet og kvalmet
meg. Jeg ble liggende, ydmyket, utslettet, men ennå med
fortvilelsens gjærende eddik i blodet. Min ulykke sto som et
kraftfelt omkring meg, tiltrukket av villaens spøkelseshvite
kamre med en kraft like sterk som skjebnens. Spenningene
fikk kroppen min til å skjelve, musklene til å rykke og vri seg
i lidenskapens Sanktveitsdans: jordens ange under meg var så
søt, dyp og mektig at det føltes som jeg lå på en kvinne, stor,
myk, varm og duftende, en kvinne som alltid var der og tok
imot meg . . .

Så da jeg endelig kom meg opp, var det mot huset jeg gikk
med usikre, nølende skritt, sammenkrøpet, halvveis i skjul,
så lydløst jeg kunne, mot baksiden som lå i skygge og relativt
mørke. Ennå spilte bålskjæret over terrasseveggen, det meste
av selskapet holdt seg tydeligvis på stranden, hadde nok slått
seg ned omkring ilden, jeg hørte fjernt stemmene, latter og
sangstrofer, til og med klimpringen fra en gitar. I nærheten
var det ingen å se eller høre.

Jeg snek meg lett over hellene hvor jeg hadde gått sammen
med Mack den søndagen for en evighet siden, da han hadde
vist meg hele sin herlighet. Jeg gikk bort til det ene lønnetre-
et, det som sto nærmest husveggen, grep tak i en kraftig gren
og svingte meg opp. Noen øyeblikk senere satt jeg fullstendig
skjult i den tette kronen, i høyde med annen etasje. De mørke
vinduene glante ut, men så meg ikke. Ett med treet, fullsten-
dig beskyttet av lønnebladenes nattblanke, flikete skjold satt
jeg uten å røre meg, med fingrene seige av sommerens suk-
ker, og kikket ut over hagen og fjorden. Der nede på stranden

satt noen i krets omkring bålet. I nabohagen glødet et annet bål, og lenger ute, på øyer og odder glimtet bål etter bål, mens båtmotorer dunket og knurret, og den ene seilbåten etter den andre gled skyggeaktig innover fjorden med natthvite seil som sto svarte idet de krysset den gyldne rennen der månen dyppet sin blanke tallerken. Jeg ség endelig inn i en tilstand av ro. Figurene nede på stranden var for langt unna til at jeg kunne gjenkjenne noen av dem. Stemmene for svake til at ord kunne skjelnes. Her var jeg trygg. Nær dem og likevel på tilstrekkelig avstand. Hos dem. Men skjult. La dem tro seg upåvirket av mitt hemmelige nærvær! Den intense lukten av grønt som drev her inne under lønnebladenes kuppel trakk meg inn i en lett, lindrende døs.

Men med ett var det lys i det nærmeste vinduet: Evas soveværelse (jeg hadde husets grunnplan i hodet). Jeg kvakk til, men visste i det samme at ingen kunne se meg her jeg satt. Derimot kunne jeg se alt. Og jeg så Eva stå innenfor døren som hun nettopp hadde lukket men ikke låst etter seg, gå et par usikre skritt inn i rommet, en hånd opp til halsen, ut av mitt synsfelt, tilbake, bort til speilet, men bare forbi i et streif, et hastig blikk som om hun var redd hva hun ville få se, før hun kom bort til vinduet, trakk de lette gardinene fra, åpnet og lente seg ut. Jeg holdt pusten. Jeg syntes hun måtte kjenne meg, lukte meg, føle min hete glød som en levende brann mot ansikt og armer. Men selvfølgelig så hun meg ikke. Jeg var usynlig. Jeg var en skoggud som satt i mitt eventyrs halvmørke, skjult for de vanlige menneskers blikk, med min fløyte, og spilte min lokketone som blandet seg i perfekt harmoni med det sugende sommernattssuset. Min tone som talte til kvinnenes utenkte tanker og udrømte ønsker. Hun så meg ikke, men hennes dypeste anelser kjente mitt nærvær og fikk henne til å presse en hånd hardt, hardt mot hvert brennende kinn!

Annetsteds fra hørte jeg svakt folk rope til hverandre til av-

104

skjed, og biler som startet. Festen var over. Eva stod ved sitt vindu og ventet ...

Og så lenge behøvde hun ikke å vente. Døren bak henne ble skjøvet opp og Mack sto i rommet. Enda før hun rakk å fullføre sin langsomme, drømmende dreining fra vinduet, bort fra meg, og åpne øyne og armer mot ham som hadde materialisert seg for henne, der inne i værelset, så jeg ansiktstrekkene hennes som et halvsekund hadde vært åpne og skinnende av forventning, stivne i motviljens krampe: Ektemannen. Nå sto han der, en olm, bredbent, maskulin karikatur, uten jakke, med skjorten halvveis ute av buksen, med stirrende blikk og tynne hårtjafser hengende ned i pannen, hjelpeløse, halvt fremstrakte armer, famlende hender, famlende lepper som arbeidet som med en bønn, en besvergelse, uten at jeg kunne høre et ord. Slik sto han og fylte drømmenes rom i hennes intimeste værelse. Hun snudde seg som i panikk, vendte ansiktet ut mot Eventyret igjen, med hardt sammenknepne øyne som om hun ville tvinge frem igjen synene, anelsene fra for et øyeblikk siden. Men han kom etter, tung, treg og verkende, la de kraftige armene om henne bakfra og trakk henne inntil seg som om hans avviste følelsers heftighet ville knuse hvert ben i kroppen på henne.

Jeg skalv som et løvblad der jeg satt i treet og spilte og spilte min lokketone for å lindre det stramme grepet av tretthet som hadde lagt sin klo over ansiktet hennes, en ubarmhjertig, ubotelig tretthet som kom av fornedrelsens smerte. Og jeg blusset som en naken yngling da jeg så hendene hans, deres ferd over kroppen hennes, grepet om armene, grepet om brystene, hennes siste, valne trekninger for å komme seg løs, og så overgivelsen, hodet bakover, strupen blottet, øynene vidåpne nå som om hun speidet ut av vinduet etter en siste redning, et håp, en tegning av prinsen på sin hvite hest der oppe blant stjernenes bleke signaler. Men det verste var at jeg midt i min vemmelse også følte en selsom tiltrekning mot ham, hans knugende styrke, en bisarr sympati med hans krenkende, voldelige kurtise, denne uskjønne kraftutladningen som mestret henne og bøyde henne mot hans desperate vilje. For jeg leste en bønn i hans voldsomhet, en bønn om forlatelse, en bønn om litt kjærlighet tross dette overgrepet. Jeg kunne plutselig føle med ham like mye som jeg led med henne; like inderlig som jeg i dette øyeblikk ville oppfylle hennes drømmer om elskov, kjente jeg det opphissende slektskapet med bukkebenet han presset inn mellom lårene hennes! Mannen Mack med sine hjelpeløst brutale hender og sin brunst snøftet ned i halsgropen hennes. Kvinnen Eva, livløs og stiv i sin føyelighet, blek og halvsmilende i sitt fravær, en glassdukke i hans uverdige favntak. Dette selsomme tablået bergtok meg, fikk min fløytetone til å forstumme, klemte tårene frem i øynene mine og knuget hendene mine om lønnetreets unge skudd så den klebrige sevjen rant. Jeg satt som hypnotisert, som i en skruestikke, inntil han med en dorsk og samtidig utålmodig og meget presis bevegelse frigjorde sin ene hånd, strakte den ut og trakk rullegardinen ned.

24

Hva mer er det å fortelle fra denne forunderlige og opprørende natten? Kanskje enda en liten hendelse, en detalj bare, den fikk ingen betydning og kunne for så vidt helst gått i glemmeboken. Men jeg tar den med, siden alt skal nevnes og ingenting later til å være for bagatellmessig for mine overvåkere . . .

Jeg klatret omsider ned fra treet, hang litt og nølte på en av de nederste grenene før jeg slapp meg ned på bakken, redd for å lage støy, for å bli avslørt som kikker nå da min rolle som skoggud var utspilt uten at det hadde fått noen følger for dramaets konklusjon. Nedslått og utmattet hang jeg som vaglet på grenen og suget overveldet opp inntrykkene av det veldige, hvite, sovende huset som hadde åpnet seg for meg, og så hadde lukket meg ute igjen i uutgrunnelig uforutsigelighet, da jeg fikk øye på noe rett innenfor stuevinduet i første etasje: En hvit sko, og en til! Edvardas høyhælte sko lå på gulvet. Den ene på teppet. Den andre på den blanke parketten. Skoene hun hadde tatt på for min skyld. Nå lå de der henslengt som om de var sparket av i all hast og glemt, like ved siden av sofaen. Armlenet, en snipp av en pute og to sofaben, det var alt jeg så fra min ubekvemme utkikkspost. Og igjen, hva betydde vel det? Hvor mange kvinner sparker ikke av seg skoene når festen er over, og lar dem bli liggende der til neste morgen? Likevel ble jeg som hypnotisert av de to hvite skoene. Jeg husket siste gang jeg hadde kikket inn gjennom stuevinduet, ettermiddagen før, da huset var lydløst lukket og hennes tennissko sto på gulvet ved sofaen, og sofaputen ennå bar avtrykk etter hodet hennes. Lå hun kanskje og hvilte seg nå? Jeg hadde ikke sett noe lys komme på i annen etasje unntatt i Evas værelse. Selskapet var over, gjestene reist, kanskje hadde hun sovnet på sofaen, for sliten og trett til å gå opp og legge seg? Tanken på henne sovende, med hodet på sofaputen, ansiktet i barnslig ro, med et fredfullt, uforstyrrelig skjær i den glatte huden og halvåpen, tillitsfull munn, gjorde meg syk av begjær etter å se henne slik. Forsiktig akte jeg meg utover grenen, så ingenting. Enda et lite stykke, og da fikk jeg øye på noe: en fot. Hennes fot hvilte avslappet på den mørke puten, en bred, kraftig pikefot uten merker av alderens langsomme invalidisering. En fot jeg skulle ha gjenkjent blant tusen, hvis minste bue og flate jeg hadde strøket og kjærtegnet. Der lå den som på et serveringsbrett rett under ansiktet mitt, i månelyset som sto inn i det nærmeste hjørnet av stuen, tal-

107

kumhvitt. Og jeg kjente hjertet mitt gi seg over enda en gang av bevegelse, av betatthet over den uimiterbare kvaliteten som selve ungdommen er, da jeg oppdaget noe som brått rev meg ut av henrykkelsen: To ting, det ene var at foten plutselig hadde begynt å bevege seg, den svingte dovent frem og tilbake på hælen, med tærne utspredt, omtrent som en vifte! Jeg hadde uten videre gått ut fra at hun lå og sov. Selvsagt kunne hun røre på foten i søvne, men ikke så langvarig og velbehagelig utspekulert som dette ... Samtidig oppdaget jeg at den var naken. Foten. Tidligere hadde hun hatt strømper på, hvite strømper som sto til kjolen. Hver detalj i antrekket hennes sto som spikret for mitt indre øye. Riktignok var det helt naturlig at hun hadde sparket av seg skoene og slengt seg på sofaen, men å ta av seg strømpene også ...? Da hørte jeg stemmer, eller trodde at jeg hørte stemmer. Men da jeg skjerpet meg for å avgjøre om det virkelig var slik, eller om dette siste var innbilning, kom en bris drivende som fikk lønneblandene til å rasle som kastanjetter om ørene på meg. Jeg forsøkte å snakke beroligende til meg selv, mens jeg sammenbitt akte meg enda noen centimeter fremover: Hun hadde platespilleren på, lavt, for ikke å forstyrre noen. Hun lå og nøt den siste timen av midtsommernatten. Hadde tatt av seg strømper og sko. Hun likte å spille plater. Hun elsket populærmusikk. Det var sikkert fra deres sentimentale lyriske tekster hun hadde hentet de fleste av kjærlighetserklæringene hun hadde overøst meg med i våre velsignede stunder. Edvarda ...! Da jeg hadde strakt meg til det ytterste utover grenen som nå sto hardt spent under vekten min, og så den nakne leggen hennes helt opp til kneet, skjønte jeg at sko og strømper ikke kunne være det eneste hun hadde tatt av. Men da var krampen i alle lemmer på grunn av den anstrengte stillingen blitt så uutholdelig at jeg måtte slippe meg ned på bakken akkompagnert av en hjelpsom vind i lønnekronen. Jeg landet så mykt jeg kunne og krøp sammen. Å kikke inn av vinduet for å skaffe seg visshet kunne ikke komme på tale, mot den månelyse ruten ville skyggen min stå som et usalig spøkelse til spott og spe. Jeg krøp på hender og knær langs hellegangen, rundet hjørnet, dukket under enda et vindu, kom rundt på forsiden og var reddet.

På gårdsplassen sto en bil. Jeg kjente den straks igjen. En velbrukt folkevogn. Hans bil. Og sannheten slo en påle av is gjennom hjernen min: Han var den siste gjesten, og de to var nå engasjert i den snøvlende, famlende, halvt bevisstløse tilnærmingen i nachspielets utmattede vacuum!

Et utall impulser sendte skred på skred gjennom hodet mitt: Ringe på. Vekke opp hele huset. Skape skandale. Banke opp jyplingen. Holde henne til regnskap. Rase. Slå inventar i stykker. Skrike, hyle for å få luft. Luft . . . ! Men selvfølgelig ble jeg stående. Isen i hjernen smeltet og fløt ut i kroppen, kjølte alle innfall ned under en gjennomsiktig glasur av frossen ro. Jeg tok oppstilling bak et av de store trærne som kantet oppkjørselen. De skulle få se hvem som var den siste gjesten.

Klokken gikk, og jeg så hvordan stjernene langsomt kantret omkring himmelens akse, fjernt bleke i mørket som ikke var mørkt, som bare på øyeblikk ble forvandlet fra skumring til daggryets drivende røk.

Jeg hadde lyttet så lenge til nattens uhørlige lyder at jeg kvakk til da jeg hørte ham trykke på dørvrideren, lukke etter seg stille og stjålent og liste seg over grusen. Liksom slentrende og tilfeldig ruslet jeg frem fra mitt gjemmested. Han ble vår meg og stanset, stivnet. Overraskelsen var på min side. Jeg la an en fortrolig, nesten gemyttlig tone:

— Hei. Det er flere som er sent ute . . . ?

— Ja. Det er visst blitt sent . . .

— Jeg må ha duppet av litt, på terrassen. Fikk visst litt mye å drikke. Hehe . . .

— Det var det visst flere som fikk . . .

Litt nølende følte han seg inn mot mitt kameratslige tonefall.

— Og du ...? Du har vært på nachspiel ...?

— Tja, slik kan du vel kanskje si det ...

Han så ned med en blyghet jeg ikke hadde ventet av ham. Det gjorde meg enda mer pågående:

— Men det var dårlig gjort mot oss andre å stikke avgårde med selve vertinnen ...!

Han brøt av:

— Hør her, det er blitt jævla sent. Jeg får se til å komme meg hjem. Skulle gjerne ha tilbudt deg skyss til byen, men jeg bor her ute ...

Løgn, jeg hadde sett ham på bussen fra byen den søndag formiddagen!

— Du burde vel heller ikke kjøre i den tilstanden ...?

Han så nesten medlidende på meg:

— Jeg drikker ikke alkohol. Jeg har annet å bruke hjernecellene mine på. Men du kan få sitte på opp til riksveien. Lettere å få tak i taxi der.

Jeg måtte bli med, jeg hadde ikke noe valg, kunne ikke miste ham nå.

— All right.

Vi steg inn. Jeg måtte sitte litt sammenkrøpet i den trange bilen med nedslitte seter som luktet av sigarettrøyk og støv. Han startet og kjørte med uvøren fart mot porten, som om han ikke hadde noe å skjule. Som om han allerede var herskeren her. Men jeg hadde replikken som nok skulle få ham tilbake på plass:

— Hun er ikke verst, hva?

Pause. Den overtydelige implikasjonen mann og mann imellom.

— Hva mener du?

— Å, du vet nok hva jeg mener. *Hvem* jeg mener. *Noe* må du ha brukt alle disse privattimene til ...

110

— Jøss og jøss . . .

Han skottet på meg med et oppriktig undrende blikk:

— Som du står på, mann. Hva er det du egentlig stresser sånn med . . . ?

Både blikket og stemmen fortalte meg at dette bar galt avsted. Jeg hadde feilberegnet, skutt over målet. Med mannfolks usvikelig intuisjon på nettopp dette området fornemmet jeg at han var uskyldig. Han hadde ikke rørt henne! Han hadde tilbrakt hele natten på sofaen hos henne, i utmattende, tørr kurtise! Han så trett, ung og hjelpeløs ut. Bilen humpet og skranglet på dårlige fjærer. Nei, han var ingen verdig motstander, og jeg kjente en ynkelig, sår medlidenhet med ham med ett. Men det var ingen måte å snu dette spillet på, ikke nå:

— Ikke noe stress i det hele tatt, kamerat. Jeg mente bare å komplimentere ditt valg: hun er litt av en dame den gode Edvarda, når hun først bestemmer seg for å kneppe opp skoleforkleet, hehe . . . Og jeg drev det så langt at jeg dultet ham lett i skulderen mens jeg strakte høyre hånden frem og lot en lang finger rotere.

Et øyeblikk ble jeg redd for at han skulle stanse bilen og forlange oppgjør, en fysisk konfrontasjon der og da, på åpen gate, med villahagenes morgenkvikke troster som tilskuere. Men han saktnet bare farten en smule, skiftet grep på rattet, lente seg en tanke fremover og stirret ut av frontruten som om han så noe interessant, men kanskje litt foruroligende, fremme på veien. Så sa han:

— Jeg tror virkelig du er syk. Jaggu tror jeg det, sånn du driver på og terroriserer alle du kommer i nærheten av med dine sære historier og dine syke innfall. Jeg har aldri støtt på en mer selvopptatt og løgnaktig person . . . Tror du ikke jeg skjønner at du nå har sneket deg rundt veggene der ute i timesvis og spionert på oss, fordi du ikke tåler at Edvarda . . . Helvete, tror du ikke at hun har fortalt meg . . .

Jeg merket meg at han til tross for sitt påtatt nøkterne og saklige tonefall, trening for legejobben senere i livet, utvilsomt, ikke greidde å fullføre setninger hvor hennes navn ble nevnt. Enda et bevis på at jeg satt her og førte en duell mot en som slett ikke var noen rival, som tross sin ungdom og sine kjekke talemåter ikke hadde våpen å forsvare seg med mot min rasende, men malplasserte sjalusi. Mitt feilgrep sto som gråt i halsen min, da han plutselig bremset opp med et kort gummiskrik i stillheten. Men stemmen var ennå under kontroll, nedlatende, nesten munter, da han snudde seg mot meg og så på meg, for første gang:

— Du burde ha lagt deg inn i stedet for å fly rundt og plage folk på den måten, vet du det?

Hans endelige kapitulasjon.

Men da jeg vel var ute av bilen og sto i grøftekanten ør og tung av søvnløshet og sorg over dette mistaket, mitt overgrep mot denne unggutten, hadde han plutselig mer på hjertet. Han lente seg frem over setet og glodde på meg ut av vinduet med stadig mer av sin gamle nonsjalanse vunnet tilbake:

— En virkelig fullblods psykopat greier alltid å spre sine spenninger slik at de tvinger alle i hans omgivelser inn i hans syke labyrint. Dette var rett fra læreboka ... Du har gjort en god jobb i familien Mack, kamerat. Men du har ikke greidd det helt. Ikke helt, nei. Og ikke kommer du til å greie det heller ...! Så forsvant folkevognen med et brøl oppover veien.

25

Jeg gjør som han sier. Jeg vrenger det ut, legger ikke skjul på noe. Men han blir aldri fornøyd. Driver meg videre. Doktoren. Psykiateren. Sjelegraveren som med pekefingeren og sitt flinke vokabular prøver å tegne et kart i sanden og forklare vindens og skyenes flukt over himmelen.

Vi hadde vår daglige samtale. Vi gikk i parken og det blåste. Skyene tumlet over hverandre over hodene våre. Han hadde lagt en hånd beroligende på skulderen min. Med den andre gestikulerte han, rev meg i kjøttet.

— Du holder igjen, Glahn, sier han mildt irettesettende.

— D-du stritter ennå imot. D-du har overvunnet enkelte hindringer, men d-det står mange igjen. Ingenting slutter her, det vet du da g-godt . . .

Men det er ikke sant! Historien, min og Edvardas historie, historien om vår ulykkelige, usynkroniserte forelskelse slutter her. Det var den jeg ble overtalt til å fortelle. Resten, det som senere hendte, er tilfeldigheter uten annen sammenheng enn at de preges av antiklimaksenes avmakt, og av stolthetens steile manøvrer.

— Denne familien Mack . . . , sier han, liksom søkende ut i været.

— Denne familien som du på sett og vis adopterte. Hva *var* d-det egentlig med d-den? Hva var det som egentlig t-tiltrakk deg hos d-dem?

Det vet han jo: Det har jeg jo brukt disse ukene på å fortelle, å rekonstruere i alle detaljer, så godt jeg har kunnet!

— Hvem av dem, fortsetter han, ikke til meg, men til skyene som driver avsted og leker sin lys- og skyggelek over oss og omkring oss.

J-jeg spør meg selv *hvem* av dem du egentlig var m-mest opptatt av? T-tilsynelatende er det jo greitt. Men når det k-kommer til stykket? D-du skjønner, fortellingen din k-kan leses på ulike måter. Den kan like g-godt handle om en person som forfølger en hel familie, be-beleirer den . . .

— Nei! Det er ikke sant!

Det er kaldt i dag. Vinden biter. Men huden min brenner.

— Vi har jo et utsagn som så absolutt t-tolker begivenhete-

113

ne i den retning. Men d-det har du vel ikke b-brydd deg med
å k-kikke på ennå ...?

Jo! Jeg vet hva han sikter til: Rapporten. Macks forklaring
til politiet. Der han vrir og vrenger seg og på alle måter forsø-
ker å skyve all skyld over på meg. For å berge sitt eget skinn.
Jeg har kikket på den. Jeg har lest noen sider. Jeg har latt ho-
det mitt fylles av hans desperate, bristeferdige tonefall: «...
Jeg kunne jo ikke godt slå hånden av ham, en gammel be-
kjent ... så forkommen og nedbrutt som jeg sjelden har sett
et medmenneske ... ga ham husrom og penger ... lot ham
forstå at det bare var midlertidig ... introduserte ham i ven-
nekretsen ... den ene skandalen etter den andre ... da han
først var blitt husvarm, var han ikke til å bli kvitt med sine
stadige krav om penger og oppmerksomhet ... dro huset
fullt av verdiløst skrap som en slags «gjengjeldelse» ... for-
fulgte oss, ja, jeg vil si det så sterkt: Han forfulgte oss ...»
Vi stanset på stien. Han så rett på meg med sitt milde, forstå-
elsesfulle smil og lot dommen falle:

— Glahn, v-vi er bare såvidt begynt.

Og da jeg nektet. Da jeg slo meg helt gal, trampet i bak-
ken, skrek til ham at jeg var utslitt, ferdig, at jeg ikke orket
mer, at jeg aldri ville skrive en linje til så lenge jeg levde ...
Da var det som en liten anelse av tilfredshet krøp inn i det stø-
dige blikket, og en enda mer varsom, omsorgsfull tone la seg
inn i den haltende stemmen da han sa:

— Neimen Glahn. N-nå må du da ikke skuffe m-meg slik.
Husk vi hadde en avtale. Og d-den har jeg ikke t-til hensikt
å gå tilbake på! Og jeg vet at han har meg, hjelpeløs som en
lus under neglen. For «avtalen» vår er hans avgjørelse med
hensyn til våre samtaler, at de ikke førte oss videre, at strate-
gien hans var forfeilet, at det måtte andre midler til. Det var
da han kom på dette med skrivingen. Min skrevne beretning
skulle bli grunnlaget for våre videre samtaler. Ingen tilståel-
ser til papiret, ingen samtaletimer. Så enkelt, og så brutalt.

114

Og nå står han og truer på samme måte: Enten fortsetter jeg denne selvflåingen, eller han trekker sitt sympatiske, forståelsesfulle nærvær tilbake og låser meg inn, alene i mine tankers dampende jungel. Og han vet godt at det makter jeg ikke engang å tenke på. Så jeg lover. Jeg gjør kuvending. Jeg slår saltomortaler der på stien mellom de høye, nakne trestammene, med det visne løvet vislende om anklene og himmelen formørket av galopperende skyer. Jeg lover. Jeg logrer som en hund, og jeg lover. Jeg lover og jeg er glad til. Takknemlig. Hvor er stoltheten nå?

Denne stoltheten som jaget meg opp og ned samme gatestumpen på jakt etter ett bestemt menneske. Bare glimtet av henne. Profilen. Det svakeste omriss. Håret om hodet hennes som en gang sto som en brusende sky, som hun senere kjemmet flatt, fett, moderne . . . Og hvis jeg så endelig fikk øye på henne, etter åtte, ti, tolv eller flere returer, og hun også så meg og sendte et ekstra blikk i min retning, kanskje til og med vinket en liten keitet pikelig hilsen fra flokken av glade kamerater, da ser jeg henne plutselig ikke, men vender brått opp en sidegate full av kald, hevngjerrig latter. Slik er stolthetens raseri: jeg kunne hugget meg selv av all kraft i benet, om jeg mente det ikke lystret min vilje. Slik ble flisene hugget av hjertet mitt en etter en, mens jeg følte jeg vokste meg større og sterkere, mektigere hele tiden. Som et monstrum . . .

Det er denne samme stoltheten som har holdt meg fra å beskrive min situasjon slik at den blir forståelig for alle: Jeg er syk. Jeg er innlagt. Det vil si, jeg er plassert på en institusjon for pasienter med nervøse lidelser, etter et alvorlig sammenbrudd for et par år siden. Det har i det siste vært fremgang å spore i min tilstand, om jeg forstår psykiateren rett. Denne skrivingen skal altså være et skritt ut av innadvendthet og melankoli, et forsøk på å gripe enkelte hendelser med forstanden og dermed gjøre dem tilgjengelige for analyse og disku-

115

sjon. Om jeg da tolker terminologien rett. Av og til kan det likevel komme over meg at jeg slett ikke er syk, at de holder meg her uten grunn, at min situasjon er uutholdelig umyndiggjort og nedverdigende. Da skriver jeg protester til styrelsen, og forsøker alt jeg kan å provosere min samtaleterapeut under våre daglige konsultasjoner. Men psykiateren dr. Feldt lar seg ikke bringe ut av fatning, og mitt raseri blusser ut som en gressbrann. En dag ba han meg om å få titte på boken, Edvardas bok som jeg alltid bærer med meg, og jeg reagerte spontant. Jeg nektet. Jeg knurret og reiste bust. Men dr. Feldt var som alltid ellers uangripelig og bestemt, så jeg rakte ham boken til slutt med en flau følelse av at mine ukontrollerte utbrudd sikkert forteller ham mer om min tilstand enn våre lange samtaler, hvor jeg ofte griper meg selv i å snakke ham etter munnen. Ihvertfall kastet han bare et blikk på tittelbladet, og ga meg boken tilbake:

— Ja, den kjenner jeg jo. Den k-kan ikke skade. Pussig at du skulle velge akkurat denne boken, forresten. Jeg har faktisk alltid sett hovedpersonen som litt av et t-tilfelle. Men hele hi-historien er selvsagt skrekklig satt på spissen og overdramatisert. T-typisk romantisk diktning fra forrige århundre, g-glem ikke det ...

Feldt stammer litt når han snakker, og er derfor omhyggelig med å velge ord. Denne skavanken gjør ham enda mer uangripelig for mine humørsvingninger. Den hindrer meg rett og slett i å anvende hele mitt arsenal av ironi, spott og sarkasmer når jeg føler meg provosert. Denne defekten gjør oss ironisk nok til likemenn, til tross for at jeg er i hans makt. Så det ender som regel med at jeg smigrer ham åpenlyst og sier meg enig i alt.

Men senere, inne på mitt eget rom, gråter jeg av irritasjon og ydmykelse. Da tar jeg brevet hennes frem og leser det om igjen, enda jeg kan det utenat nå. Og den samme voldsomheten som reiser en uovervinnelig bølge av lengsel i meg når jeg

116

hvisker ordene hennes frem for meg, kan øyeblikket etter tenne et vilt raseri. Hvorfor kunne hun ikke la meg i fred, selv ikke nå? Selv ikke her? Og jeg biter meg selv i knokene for at mine rasende hulk ikke skal høres på gangen.

26

Han sier at jeg må fortsette. Så jeg fortsetter:

Junis ville vekst og bråmodne, tankeløse overflod, avløses av julis tunge, kontemplative døs. Ferietiden nærmer seg. Byen tømmes. Det er rolig dager, men jeg er rastløs, driver omkring, unngår leiligheten så mye jeg kan om dagen, ønsker ikke besøk. Likevel er det ikke til å unngå at jeg til slutt løper rett på Mack. Han hilser overstrømmende. Vi blir enige om å ta et glass på en uteservering.

— Det går mye bedre nå, sier han og ser mer på menneskene som driver forbi oss langs fortauet, enn han ser på meg. — Det retter seg opp. Kanskje skyldes det rett og slett din «intervensjon» den kvelden? Haha. Jeg vet ikke hva du sa eller gjorde, men noe virkningsfullt må det ha vært. Kanskje best ikke å spørre og grave *for* mye. Det man ikke vet, og så videre ... Hahaha!

Jeg forstår at han sitter der og forteller meg at han ligger med Eva igjen. Men han ser trett og sliten ut, kjakene henger, og bak den forsert muntre stemmen svømmer det brune hundeblikket mer melankolsk enn noensinne. Han forteller at han forbereder en lengre forretningsreise. Han skal dra om kort tid og bli borte i minst to uker. Han har foreslått Eva å bli med, ta det som en ferietur, endelig komme seg ut og se litt hun også, men der er hun ikke til å rikke. Det hadde han heller ikke ventet. Hun liker ikke å reise ... Han forteller

117

meg dette med et blink i øyet, som om hele denne historien er et resultat av en hemmelig avtale oss imellom, et skuespill han har satt istand, som vi begge på en eller annen underlig måte som han må ha pønsket ut, skal komme til å profittere på.

— Du drar vel ikke fra byen du heller, Thomas?

— Nei, jeg har ikke planer om å reise noe sted.

— Det er godt. Det er godt. Da kan jeg liksom tenke meg familien samlet . . . Det vil si, Edvarda har vel sine egne opplegg. Hun bekymrer meg faktisk for tiden, nå som jeg trodde det hele var i godt gjenge med unge Marius. Vi ser henne nesten aldri lenger, hun går ut og blir borte. Jeg har sittet oppe og ventet flere netter. Når jeg ringer Marius, har hun ikke vært der. Og spør jeg henne hvor hun har vært når jeg en sjelden gang ser henne, sier hun bare at det er hennes sak. Det er vel tidsånden, Thomas, hva?

Før han må løpe til neste avtale, rekker han meg en ny konvolutt:

— Ingen innvendinger nå, se det som et lån. Eller feriepenger, for faen! Du har virkelig jobbet for det jeg har gitt deg, så dette er ikke noe for mye. Gå ut og kos deg skikkelig. Jeg skulle gjerne ha bedt deg hjem på middag en dag, men jeg får så fordømt mye å gjøre nå fremover til jeg skal dra . . .

Hver gang vi treffes gir han meg penger. Han ber meg om å ta dem. Det er som *jeg* gjør noe for *ham* ved å la ham underholde meg på denne måten. Som om det er en forbindelse han ikke for noen pris vil bryte. Så jeg tar imot. Jeg gjør ham den tjenesten. For jeg har også innsett at heller ikke jeg kan slippe taket i ham, enda så ofte jeg har sagt til meg selv at jeg ønsker meg ut og langt vekk fra denne innfløkte kontakten. Jeg sier meg selv at det skyldes det enkle faktum at jeg mangler penger. Jeg har ikke så store krav personlig, men jeg har hatt flere besøk av min skog-nymfe, min hundevenninne, som griper dypt i pengebeholdningen. Hun trenger pengene

til den eneste form for hvile hun kjenner, og jeg betaler, takk-
nemlig for en fristund over hennes passive, komplikasjonslø-
se hengivelse. Etterpå sover jeg de dødes søvn til oppussings-
arbeidene vekker meg neste morgen: Herregud, skal da aldri
disse menneskene ta ferie?

27

Nede i byen sto luften stille. Jeg satte meg på en forstadsbane
og steg av på endestasjonen. Oppe i åsen hvor det var et lite
vinddrag, litt luftning mot pannen hvor så mange slags tan-
ker banket. Jeg tok en tursti bort fra de siste spor av bybebyg-
gelse, gikk og klatret en halvtimes tid, brøt bort fra stien og
fant en fri, fredelig plett på en kolle. Her satte jeg meg og så
utover bypanoramaet: Oslo trygt i naturens innramming,
ømt favnet av bakker og knauser, blidt vasket av fjorden,
overstrålt av et ustadig skylys fra Kolsås til Ekeberg, som skif-
tet i takt med månedens tunge lune. Fjordspeilet brutt av
øyer og odder. Jeg følte meg trygg og forsøkte å peile meg inn
på steder jeg kjente. Biler på veiene, maur på et bendelbånd.
Båter på fjorden. Et fly. Og bare skogens lyder, bare skogens
lukter. Den ufriserte, utemte skogen, bare flekket av turfol-
kets søppel her og der. Her falt jeg til ro: Oslo er verdens vak-
reste hovedstad betraktet på avstand. Jeg må ha sovnet.

Men om kvelden er jeg tilbake i sentrumsgatenes lumre
innestengthet. Jeg går den velkjente gaten opp og ned forbi
inngangen til diskoteket. En dør med skinnende blankt alu-
miniumsbeslag. Kaldt og avvisende. Et lite, men skjærende
neontegn over. En trapp fører ned i underverdenen. Jeg fan-
ger glimt av det forbudte land når døren åpnes og lukker seg
etter hver ny gjest. Jeg følger nøye med fra motsatt fortau, el-

ler fra vindusbordet i en liten kafé litt lenger oppe i gaten. Men jeg har sjelden ro til å sitte stille, må ut igjen, vandre, kikke som hastigst inn i alle biler som passerer, puste lettet ut når jeg ikke ser henne der inne, men samtidig vente, vente og verke: kommer hun ikke? Kommer hun ikke i kveld? En ny kaffekopp på kaféen. En ny halvtime på post rett over gaten, latterlig skjult bak en avis. En ny runde på vaktpatrulje, gaten ned, gaten opp, gaten ned . . .

Jeg vokter på alle. Jeg mønstrer hvert eneste ansikt. Jeg skjærer grimaser av avsky og vemmelse når jeg ser disse opprømte, glade minene. For en overfladiskhet! For en løgn å trave omkring i en ørken, med påklinte smil og affekterte geberder! Forakten og opprørtheten rir meg så jeg en stund ikke merker at tiden går.

Når hun endelig kommer, er klokken nesten halv elleve. Men det går ikke lenger noe støt av forventning og glede som et kraftig byks gjennom mitt indre, bare ved synet av henne. Jeg har sett henne her med for mange ulike kavalerer. Hver kveld en ny, eller kanskje det er en rotasjon blant de samme. Jeg har vanskelig for å kjenne dem fra hverandre . . . Denne her har jeg visst forresten sett før. Høy, sportslig type, brunbrent av solen med bredt, hvitt smil og selvsikker manér. De stiger ut av en drosje som det tar litt tid å betale. Jeg skrår over gaten, rusler liksom tilfeldig forbi og sier:

— Godkveld, Edvarda . . .

Hun har sett meg komme og snudd seg bort, men må nå snu seg mot meg igjen med sitt mest vaktsomme, avventende blikk:

— Hei . . .

— Du er ute og morer deg . . . ?

— Ja, det ser du vel.

— Det er virkelig en deilig kveld, jeg fikk lyst til å spasere en tur . . .

— Hør her, hvis du mener at du og jeg har noen avtale . . . !

120

Jeg kan ikke avgjøre om det er raseri eller en liten bønn, en bønn til meg om å forsvinne og la henne være i fred, som får stemmen til å svikte henne en liten tanke akkurat nå.

— Nei nei, forsikrer jeg meget alvorlig. Ingen avtale. Jeg sa bare at jeg tok en liten spasertur, og så havnet jeg her. Og det gjorde du også, haha ...

Kavaleren er ferdig med drosjen og oppfanger situasjonen, griper henne i armen med det korteste nikk til meg.

— Er du klar?

Hun smyger seg takknemlig inntil ham, og mumler knapt et «Hei» i min retning, idet de snur seg for å gå de få skrittene mot diskotekdøren. De kler hverandre, de går i takt, tett sammenslynget, som om de var én person, ett legeme ...

— Godkveld da, Edvarda! roper jeg etter dem. Han snur seg overrasket og sender meg enda et av sine kjappe blikk.

— En slektning av deg? hører jeg ham spørre, så høyt at jeg også må høre. Så dukker de inn og blir borte. Og jeg står tilbake og tenker på hvordan kjærligheten kleber til kvinnen, hvordan den fysiske fullbyrdelsen setter en egen, selsom kjemi i gang i hennes indre, endrer pulsslagene, glansen i øynene, kroppens føyelighet og elastisitet og bevegelsenes samstemthet som om hun i ett og alt vil tilpasses og gå helt opp i ham som er elskeren, som et signal til alle andre, til verden, til ham som står tilbake, om at hun er et annet sted, hos en annen, totalt, helt og holdent, og ingenting kan forandre på dette ... Slik jeg hadde lest det i måten hun smøg sin arm omkring smalryggen hans på under jakken. Hvordan hun lente sin hofte mot hans for å falle i takt når de gikk. Hennes hode mot skulderen hans. Noen hviskende ord. Den minst mulige avstand mellom to mennesker ... Dette hadde jeg sett. Deres sammensmeltning var så å si demonstrert rett foran øynene på meg, helt klart og ikke til å misforstå. Og likevel reagerte jeg ikke på annen måte enn kanskje å øke skrittlengden litt, der jeg patruljerte gaten opp og ned, øke takten litt,

121

som om noe hastet, og hastet mer og stadig mer, som om jeg
i virkeligheten lå og trødde vannet og holdt på å drukne, ja,
jeg kjempet og kjempet for ikke å synke der jeg travet denne
ulykksalige gatestumpen opp og ned, ned og opp, ivrig spei-
dende mot den forheksede blanke døren hvor hun måtte
komme til syne igjen før eller senere, før eller senere, mens
jeg følte en spenning bygge seg opp og presse på i brystet mitt
som et bydende utrop som mer og mer steg til et skrik: Noe
måtte skje! Noe måtte skje nå!

Og jeg spør meg selv her jeg sitter og tenker på Glahn og for-
søker under legenes oppsyn og gode råd å få disse hendelsene
mer på avstand; hva kunne det være han ventet på nå, etter
dette? Hadde hans ville, fordrømte forhåpninger ikke ende-
lig fått et grunnskudd? Hva kan det være i forelskelsens gal-
skap som hindrer fornuften i å trekke de mest opplagte slut-
ninger?
    Jeg har snakket mye med dr. Feldt om stolthet. Han mener
som rimelig er, at stoltheten har vært min farligste fiende.
Han vil gjerne se min stolthet som del av mitt sykdomsbilde,
som et «overdrevent sterkt symptom på et negativt selvbilde»,
stengslet mellom meg og det han kaller «en positiv gjensidig
sosial utveksling og samhandling med andre mennesker».
Det kan nok ha noe for seg innenfor denne terapiens pragma-
tiske rammer. Men hva kan en mann som han, med sitt venn-
lige blikk, sin lett buede nakke, sitt nølende talesett, vite om
stolthet? Med sitt handikap har han nok måttet knekke stolt-
heten sin gang på gang, så mange ganger at den til slutt aldri
får reist seg igjen. Ja, faktisk må det skje hver gang han åpner
munnen! Han har sørget for å kompensere mangelen på sun-
ne instinkter med boklig lærdom og faglig autoritet. Jeg kan
ikke annet enn synes litt synd på ham når han vil belære meg
om stolthetens farer. Selv om jeg jo i prinsippet er enig, for
terapiens skyld, og fordi det han hevder er udiskutabelt for-

nuftig. Jeg husker jo godt hva som skjedde den kvelden på diskoteket, og det er trist og forundrende. Men hvor langt kan den gode Feldt nærme seg sannheten med bare sin fornuft? Hva kan han vite om det å trave opp og ned en forlatt og grå sentrumsgate i Oslo, blindt som et muldyr i tredemøllen, drevet av stolthetens piskeslag og med lidenskapenes brann under fotsålene? Hva kan den kloke doktoren vite om det å nærme seg døren, den kjølige, metallblanke, avvisende døren hvor den totale fornedrelsen venter, nærme seg den, åpne den og gå inn, fordi stoltheten krever hans undergang i luende flammer?

28

Jeg overså den unge mannen i mørk, stripete jakke som strakte en hånd ut og sa noe. Jeg bare veivet med armen på en avvergende måte og satte kursen mot trappen. Veien ned til helvete var opplyst av neonrør i skrikende farger. Nede i selve danselokalet var det først ikke mulig å se noenting, men etter noen øyeblikk, da jeg hadde vennet blikket til forvirringen som ble skapt av den stadig skiftende belysningen, så jeg to rekker med bord som kranset det runde dansegulvet. Bakerst mot veggen skimtet jeg også en rekke med bord, adskilt med skillevegger som dannet båser. Som ledet av et ufeilbarlig instinkt, skjerpet jeg blikket i den retningen og fikk øye på henne. Trengselen i lokalet var utrolig. Da jeg endelig sto ved hennes bord, var jeg tungpustet som om jeg skulle ha løpt en lang strekning:

— Godkveld igjen, Edvarda . . .!

Det satt flere ved bordet, de to nærmeste så opp, og så vekk igjen uinteressert. Kavaleren kunne jeg ikke få øye på.

— Hva i all verden er det du vil?

Spørsmålet hennes lød som et nødrop.

— Jeg kom på at jeg skyldte deg noe . . .

— *Skyldte* meg noe? Du skylder meg da ingenting . . .

— Jo. En opplevelse. Du kom til meg en gang . . . Men det husker du sikkert ikke. Jeg forsøkte å si deg noe . . . Nei, glem det! Glem det! Ikke ble det til noe heller, haha . . . !

— Kom du hit for å snakke om sånne ting? Si meg, er du blitt helt sprø, eller . . . ?

Flammene på halsen hennes var som et utslett, et kjærlighetsutslett, så forferdelig synlig . . . ?

— Ja, jeg vet det, jeg skjønner det nå, det var galt av meg å komme hit. Jeg ber så meget om unnskyldning. Jeg skal gå. Men jeg ville bare så gjerne få gitt deg noe, et minne.

— Minne! Hun ropte det nesten. Du har virkelig gitt meg minner nok!

Den forrykte musikken tordnet i ørene på oss. Øynene hennes var fylt av irritasjon og forvirring, som om hun kjente en smerte, men ikke helt kunne lokalisere den. Men nå da det virkelig hadde lykkes meg å splintre likegyldigheten i ansiktet hennes, følte jeg ingen triumf, bare sorg.

Jeg sto stiv som en tinnsoldat midt i flokken av leende ungdom som syntes å vaie fra side til side, drive fra den ene enden av rommet til den andre i takt med den øredøvende musikken, som tangvaser viljeløst, under vann. Som en vindskjev anakronisme sto jeg og kjempet for å få sagt noe til henne som hun kunne forstå, få valgt noen ord som kunne få betydning for oss, for henne og meg. Som et forlatt minnesmerke over en annen epoke i menneskers samkvem, andre sinnstilstander, andre uttrykksformer, raget jeg over disse menneskene som ikke var opptatt av annet enn å bli bedøvet i blindende nærhet og lydkaskader nær smertegrensen.

— Omforlatelse, ba jeg. Tilgi meg, kjære Edvarda . . .

Jeg måtte rope for å bli hørt, de nærmeste snudde seg

igjen, de var vel ikke vant til slik språkbruk. Jeg så hvordan hun åpnet og knyttet hendene.

— Jeg burde naturligvis ha forstått at det ikke er noen mangel på opplevelser i ditt liv, ikke akkurat nå . . .

— Vi kan ikke snakke her!

Hun hveste det opp i øynene mine.

— Adjø . . .

Jeg ble stående. Jo hardere jeg strevde med å finne en formulering som kunne løse oss ut av denne vanvittige situasjonen, jo mer umulig ble det for meg å rikke meg av flekken. Hun kikket over skulderen min som om hun speidet etter hjelp. Kanskje så hun etter sin kavaler. En redningsmann i hvitt sommerantrekk, solbrun og selvsikker, som kunne nynne den siste slagerteksten i øret hennes. Ihvertfall fikk hun øye på noe, for jeg leste lettelse i ansiktet hennes, så en liten engstelse. Og så kjente jeg en tung hånd på venstre skulder og et fast tak i høyre arm:

— Sånn ja. Nå skal vi bare hjelpe Dem å finne veien ut . . . !

— Et øyeblikk, ba jeg. Et øyeblikk bare, min herre, så skal jeg gå . . .

Grepene hardnet:

— Man kan ikke bare presse seg inn her uten videre, vet De . . .

— Neida, neida . . . ! ba jeg. Bare et ord . . . !

Men den ene vred armen min bak på ryggen, og den andre la sin arm om nakken på meg. Slik ble jeg dyttet og slept gjennom mengden som var blitt oppmerksom på opptrinnet og stimlet sammen. Fra min grotesk forvridde stilling fikk jeg ved et skjebnens lune øye på kavaleren som sto lent mot en søyle med et glass i hånden og halvsmilte med forbauset munterhet i alle trekk. I bakgrunnen hørte jeg hennes stemme:

— Gi dere litt da! La ham få gå selv! Han har da ikke gjort noe galt . . . !

Så bar det opp trappen, og ublidt ut døren: «Og våg ikke å vise Dem i nærheten en gang til!»

Men da jeg hadde fått rettet på klærne, og kjente at jeg var like hel, bortsett fra noe som føltes som et lite skrubbsår under haken, var det som om jeg ble grepet av en fortærende, uforklarlig lystighet:

— Gaten er for alle! mumlet jeg til meg selv, mens jeg spankulerte opp og ned foran metalldøren deres.

— Ingen kan kaste meg ut fra gaten. Her selger de ikke billetter, hahaha!

Kanskje var det lyden av stemmen hennes som ennå ringte i hodet mitt, de få ordene hun hadde ropt etter dem, for å hjelpe meg, disse ordene som betydde at hun hadde en liten omtanke, et hjerte for meg fremdeles . . .

— Ett, to, ett, to . . . Hun hater meg i hvertfall ikke . . . Ett, to, ett, to, hun hater meg ikke, hun hater meg ikke . . . Det var blitt meget sent nå. Overhodet ingen trafikk i gaten. Fra kjellerlokalet lød ekkoet av dansemusikken som hjertebank gjennom betongen: Hun hater meg ikke, hun hater meg ikke . . . Jeg balanserte på rennestenskanten og passet på ikke å trå på skjøtene. Jeg la en bokstav i navnet hennes ved hver sten jeg trådte på og tenkte at dersom det passet nøyaktig når jeg kom til gatehjørnet . . . Etter noen minutter med slike magiske aktiviteter, sto hun der plutselig foran meg! Edvarda. Henne i kjøtt og blod! Jeg ville le, jeg ville gråte:

— Edvarda! Edvarda, åh takk, takk skal du ha . . .!

— Takk for hva da? For at du fikk ødelagt kvelden for meg? Hun spøkte. Hun sto der med jakken på. Hun hadde gått fra diskoteket. Hun var kommet til meg. Åh, jeg skulle gjøre alt godt igjen, alt, alt, så uendelig godt igjen! Slik tenkte jeg, ennå omtumlet av de voldsomme hendelsene for bare noen få minutter siden.

— Nei, for at du kom! Kom ut derfra, hit ut til meg . . .!

Hun bare så på meg uten å si noe. Jeg stusset et øyeblikk:

Hva ville hun? Hva ventet hun av meg nå? Hva skulle vi gjøre? Hvor skulle vi gå? Jeg sto klar til å oppfylle hennes minste ønske, men jeg måtte først vite hva det var. Blikket hun mønstret meg med var stødig og avventende, det røpet ingenting. En slik selvsikkerhet hos henne gjorde meg straks urolig:

— Nei Glahn, vet du, nå synes jeg det må bli opp til deg. Jeg er bare spent på å høre hva du egentlig ville «si» meg der inne, hva for slags «minne» du hadde tenkt å forære meg? Hva for en «stor opplevelse» du mener du skylder meg . . . ? Hun uttalte ordene med vanskelighet, og det lille smilet som satt som filmet på ansiktet hennes var hardt og ugjennomtrengelig. Jeg fattet hvordan hun hadde misforstått min klønete opptreden, og hvor uopprettelig det var. Provokasjonen hennes traff som et slag. Jeg så med ett hvorfor hun var kommet til meg. Hun hadde kranglet med sin kavaler. Jeg forsto hennes fortvilte utspill, og knærne skalv under meg da jeg nærmet meg henne, ett skritt, ett skritt til, som for å komme nær nok til å klamre meg fast om jeg skulle miste balansen og falle . . .

— Går vi da . . .? spurte hun lett, og tok noen prøvende steg. Hun hadde høyhælte sko på, men det var ikke for meg, ikke forat hodet hennes skulle komme i passende høyde til min skulder, eller hennes hofte til min hofte . . .

— Ja, det er like greitt det, svarte jeg med all den likegladhet jeg kunne mønstre i stemmen.

— Det er jo like her borte . . .

Min hybel, vår bortgjemte hytte i skogen, lå bare noen kvartaler unna.

Vi gikk tett ved siden av hverandre, uten å snakke og uten å røre ved hverandre. Hælene hennes smalt fast og bestemt i asfalten som om målbevisstheten i ganglaget skulle hjelpe henne å fjerne den siste tvilen hun måtte ha hatt.

Men utenfor gatedøren stanset hun likevel, snudde seg

mot meg, fant igjen en stemme jeg kjente:

— Glahn ... Glahn, synes du ikke ...?

— Hva da ...?

Jeg forsto utmerket godt hva hun ville si, men terningen var kastet. Jeg var tom og kald innvendig, et lett trykk, som en kvalme, satt mellom øynene, jeg følte meg gold, impotent helt opp i hjernen, men jeg var fast bestemt på å gjennomføre det nå.

— Nei, jeg ...

— Kom nå da, var det ikke slik at det hastet?

Mitt hånlige svar tømte ansiktet hennes for følelse. Med tykk stemme, som om hun måtte streve med tungen og kjevene, mumlet hun:

— Som du vil, da ...!

Men da vi gikk opp trappen, sakket hun likevel etter. Besluttsomheten var borte fra skrittene. Det var den derimot ikke hos meg! Jeg sprang bryskt opp trappene. Ga meg ikke tid til å vente på henne, ikke engang så mye høflighet befalte. Så da jeg fikk øye på henne som halvveis satt og halvveis lå oppe på avsatsen i fjerde etasje, lent opp mot døren inn til min leilighet, med bena sprikende fremover gulvet, kjolen trukket opp og en rød sko dinglende fra den ene slappe foten, var Edvarda nesten en etasje nedenfor. I et vanvittig øyeblikk kunne jeg ikke tenke en tanke. Så tok jeg de siste trinnene i to byks og sto ved siden av henne, bøyde meg ned og skulle til å gripe tak i henne, riste henne våken, rope til henne at hun måtte se å komme seg til helvete vekk, da en motsatt impuls slo meg med ubevegelighet: ville det ikke være det aller verste om hun nå våknet, kanskje beruset, omtåket, og begynte å skrike opp? Dermed fór jeg ned igjen for å stanse Edvarda, hun var i mellomtiden kommet et godt stykke opp siste trappen:

— Edvarda ...! Du må ikke ...! Jeg ...!

— Nå, Glahn, du har da vel ikke ombestemt deg ...? Er

128

du redd du skal få problemer likevel? Hun var trett, trett og kald i ansiktet, men et fandenivoldsk lite smil lekte i munnviken og i øyekroken. Jeg hadde stanset rett foran henne. Hun vek til side og gikk forbi. Jeg grep armen hennes. Hun rykket den løs med forbausende styrke. Så var det ikke mer jeg kunne gjøre, om jeg da ikke ville gå til angrep på henne. To trinn til, tre trinn og så ... Hun holdt sitt skremte utrop tilbake med hånden og snudde seg. Jeg sto og holdt i rekkverket med begge hender. Noe i min kraftløse, fullstendig passive holdning dempet muligens hennes panikk, for jeg hørte henne spørre med tynn, fremmed stemme:

— Glahn, hvem er hun ...?

Jeg trakk på skuldrene.

— Noen du kjenner?

Hva kunne jeg svare?

— Hva er det i veien med henne? Skal vi få tak i en lege?

— Nei!

— Men ...

— Hun er bare ... beruset. Hun går på stoff.

Jeg snudde hodet, idet Edvarda bøyde seg og tok opp en rød, høyhælt sko som hadde falt ned på det øverste trappetrinnet.

— Jeg forstår ...

Hun satte skoen fra seg på gulvet, forsiktig som om hun for all del ikke måtte vekke den sovende. Så begynte hun å gå trappen ned.

— Edvarda ...! forsøkte jeg maktesløst. Edvarda, dette er ikke som du tror ...!

Hun gikk forbi meg ned trappen, blek og fremmed. Tett, tett forbi meg som om hun ikke så meg, som om jeg slett ikke var der:

— Det gjør ingenting, Glahn, sa hun med samme bevende, ugjenkjennelige stemme. Det gjør ingenting, absolutt ingenting ...

129

Ordene hang igjen etter henne i ekkoet mellom de kalde betongveggene, i lyden av skrittene hennes i trappen som hvisket seg svakere helt til de stanset bak ytterdørens definitive drønn. Men selv deretter fortsatte de å synge i hodet mitt som en besvergelse, som dommen over vårt samvær, mitt samkvem med mennesker overhodet: Ingenting, ingenting, ingenting ...

29

Hvor lenge satt jeg i trappen med hodet i armene? Noen minutter? En halv time? Timer?

Jeg våknet av smellet i ytterdøren, skritt i trappen, jeg tenkte:

— Det er henne! Hun har forstått, hun er kommet tilbake! Men det var Mack.

Han sto foran meg, tungpustet, truende:

— Er Edvarda her?

Jeg ristet på hodet.

— Er hun ikke sammen med deg?

— Det ser du vel ...

— Herregud ... utbrøt han, det lød som et stønn. Han la hånden over øynene:

— Jeg dro til diskoteket. Der traff jeg en eller annen som hadde vært sammen med henne. Han fortalte om et opptrinn og beskrev en fyr som jeg trodde måtte være deg. Jeg tenkte at hvis det er ham, hvis det er Glahn! Så ...! Han ristet på hodet som for å tvinge vekk et uhyggelig syn. Så åpnet han øynene, glippet mot det klare lyset i oppgangen som om han nettopp var våknet av en døs:

— Men hva gjør du her i trappen?

130

Jeg var for utkjørt til å svare.

— Full, hva . . . ?

Et glimt av den kameratslige tosomheten kom frem i det tunge blikket.

— Kom her, la meg hjelpe deg på beina . . .

Han grep meg under armene og heiste meg opp. Jeg lot det skje.

— Så . . . Og nå er det inn og i seng . . .

Han begynte å slepe meg opp trappen. Jeg forsøkte å protestere, mumlet at jeg kunne klare meg selv. Han holdt meg bare fastere, klemte meg inntil den varme kroppen sin som om jeg skulle vært et barn han for all del måtte ta godt vare på. Så fikk han øye på henne på avsatsen.

— Hvem faen er det der?

— En dame . . .

— Hva feiler det henne?

— Antagelig dopet . . .

Han hadde sluppet taket i meg og klatret opp de siste trinnene, tok et overblikk, virket forretningsmessig og nøktern:

— Noen du kjenner?

— Hun har . . . Jeg har truffet henne et par ganger . . .

— Din skøyer . . . ! Han kostet på meg et flir. Jeg så at hun overhodet ikke hadde rørt seg siden jeg fant henne. Det kom ingen lyd fra henne. Et forrykt innfall sa meg at hun var død og jeg følte en panisk trang til å flykte.

— Vi får se å få vekket henne, sa Mack. — Hun kan ikke ligge her. Vi er nok plaget som det er med uteliggere her i oppgangen . . . Han ristet henne. Det kom en klagende lyd fra den halvåpne munnen, hodet hennes gled ned fra dørkarmen, ned på terskelen, helt ned på dørmatten, så trakk hun bena oppunder seg med et sukk og ble liggende der foran døren, sammenkrøllet, som en hund.

— Jøsses, hun må ha tatt noe kraftig! Best å få henne unna. Ta i her . . .

Mack var en handlingens mann når det gjaldt praktiske saker.

— Kanskje hun burde ha tilsyn? En lege . . .?

Han feide meg av:

— Da har vi purken her på et blunk, og rapporter og vitneforklaringer. Nei, la oss bare få henne ut, hun kan sove det av seg et annet sted.

Jeg tok tak i bena, han holdt under armene. Han gikk foran ned trappen, møysommelig, baklengs. Kjolen hennes gled helt opp til livet. De tynne lårene var flekket av blåmerker etter sprøytestikk.

— De er temmelig unge, hva?

Han blunket til meg mens han strevde og bar. Det var som om denne hendelsen hadde pumpet ham full av energi og humør!

Vi bar henne ut i bakgården.

— Hvor som helst her, mumlet han. Her er det flere utganger. Ingen kan si hvor hun kommer fra, hvis hun blir funnet . . .

Vi hadde stanset ved oppussingsarbeidernes søppelcontainer. Han snudde seg plutselig mot meg med et skøyeraktig guttegrin over hele fjeset:

— Vi dumper henne her! Ta i . . .

Og da jeg ikke reagerte fort nok for hans kåte iver:

— Et lite narkoludder fra eller til . . .

Og av en eller annen merkelig grunn ble også jeg plutselig grepet av raseriet hans. Med ett var det også meg om å gjøre å få henne bort, ut av syne, ut av minnet der hun lå som vi hadde lagt henne fra oss på gresskanten, forvridd og uskjønn, med et dødt, måpende uttrykk i ansiktet, halvnaken, patetisk, utlevert. Min nattnymfe. Så jeg kjente det som en lettelse da vi grep den bevisstløse piken, løftet henne til skulderhøyde og vippet henne opp i containeren. Der ble hun liggende blant murpuss og plankebiter. Skoene hennes som

132

jeg hadde tatt med en i hver lomme, kastet jeg oppi etter henne.

— Det var det, sa Mack og gned håndflatene mot hverandre. Det var det.

Nå da det hele var over, følte jeg meg ganske skjelven og forsvarsløs. Nå var hans arm om skulderen min en trygghet, en trøst.

— Du, sa han, i sitt gamle tonefall nå, og fortrolig, bydende. Du, jeg har gått og tenkt på noe: Du forstår, det skal pusses opp i leiligheten. Jeg må passe på mens de holder på her i gården. Og da blir det jo ikke mulig for deg å bo der . . . Så jeg tenkte at du kunne flytte ut til oss mens det står på. Et par-tre uker eller så. Du kunne bo i båthuset, «Lysthuset» som vi kaller det, hahaha! Der er alt du trenger. Du kan være helt for deg selv om du vil . . . Hva sier du? Hva . . .?

Det var ikke noe spørsmål, det var en beskjed, en ordre som jeg måtte adlyde. Som om vår nattlige gjerning som nettopp var avsluttet, hadde skapt en pakt mellom oss som holdt oss begge fast i en avhengighet av den andre.

— Du må la meg få tenke over det, forsøkte jeg. I dette øyeblikket kunne jeg ikke overskue hva det ville innebære å bo hos dem ute i villaen, ha dem omkring meg, Edvarda og Eva. Edvarda og Eva . . .

— Tøys, gamle gutt! Du flytter i kveld! Stikk opp og hent sakene dine. Kom, jeg skal gi deg en hånd. La matvarer og alt sånt stå. Det får jeg et menneske til å ta seg av. Pakk sammen klærne, det lille du trenger. Kom nå . . .! Det ville jo være dumt om noen begynte å snoke omkring og stille spørsmål om denne jentungen, ikke sant? Dumt for oss begge, ville jeg si, men jeg sa ingenting. Jeg innså at han hadde taket på meg, og at jeg, på en merkelig, innfløkt måte også måtte ha taket på ham. At våre skjebner var enda tettere sammenvevd nå.

Den gule Mercedesen fløt utover Drammensveien på en sky av jevn dur. Jeg satt stille med hodet lent mot nakkestøtten og lot meg føre bort. Min bagasje lå i baksetet, en skulderbag, to-tre plastposer, fattigslig, ubetydelig i den romslige bilen.

— Hun kan ikke ha vært gammel, du — seksten, sytten år kanskje . . . ? Han snakket mest til seg selv. Jeg lot som jeg sov for å slippe å svare.

— Din skøyer . . .! Han klukklo fremover rattet. Du var alltid en djevel med damene du, Glahn. Jeg burde nok ha tatt deg med på denne reisen likevel . . . Men, nå når du kommer ut til oss så blir deg lettere å holde øye med deg . . . Hele familien samlet, eller hvordan jeg nå skal uttrykke det? Haha-ha . . .!

Det siste jeg hørte før jeg virkelig sovnet var latteren hans, dyp, hes og rallende, som om den kostet ham den ytterste anstrengelse. Så gled hodet mitt ned på det duftende læret i seteryggen, og drømmene kom. Mørke, hemmelighetsfulle drømmer hvor jeg svevde som en ånd gjennom tretoppene i Macks store hage. Lå gjemt i det tette løvverket og betraktet dem. Smilte mitt lystige smil mens jeg tok noen dansetrinn ut av skyggene, inn igjen i skyggene, synlig for dem i ett glimt, og så usynlig igjen: Det er jeg som trår mine lette, besvergende mønstre over de nattvåte plenflatene rett før duggen fordamper under julimorgenens røde sol. Det er jeg som spiller på fløyten min, lokkende, lokkende toner som beveger dem og gjør dem utilpass, rastløse, lengtende i denne tunge, stillestående sommermåneden da alt har begynt og ingenting ennå er fullendt: «Juli» sier de. «Åh, juli . . .!» og lytter til tonene mine og ønsker seg inn til meg, inn i skyggene, inn i mitt rike hvor de også kan trå ut av skoene, løsne på båndene, gi seg til dansen og glemme alt annet, bare følge med dypere, stadig dypere inn mellom trærne.

30

Dr. Feldt liker å snakke om kvinner. Om det han kaller *mine* kvinner. Mitt forhold til kvinner. Det later til å interessere ham. Han sier rett ut at han mener at mye av årsaken til det han kaller mine «problemer» ligger i mine relasjoner til kvinner, som han finner uvanlige.

— Du dyrker dem, konstaterer han. Du påkaller natur-kreftene og alle høyere makter i din t-tilbedelse av dem. Men Glahn, k-kan du fortelle meg om du egentig *li-liker* kvinner?

Jeg holder gode miner. Jeg svarer ham det jeg antar han helst vil høre. I en situasjon som min, blir man etterhvert flink med terminologi. Og jeg er blitt lurere. Hans siste trus-sel har skremt meg. Skjønt det er ingenting skremmende ved hans oppførsel idag. Faktisk kan han av og til virke temmelig famlende og usikker, som om han gikk på tynn is og speidet etter den nærmeste trygge landstripen. Hans utspill med kvinnene var vel et forsøk på å bringe meg ut av balanse slik at han skulle kunne føle seg på tryggere grunn. Men jeg gjen-nomskuer ham.

— Ta d-din forelskelse, fortsetter han når han skjønner han ikke kommer noen vei. Forelskelsen er en n-naturlig galskap, det har vi jo snakket om. M-men å *dyrke* forelskelsen, gjøre den til en besettelse, gjøre *sanserusen* til alle tings m-mål. D-det er noe annet. D-da ligger illusjonenes og s-selvbedragenes verden snu-snublende nær!

Jeg hører oppmerksomt på hans stotrende utlegning. Han beveger seg ennå på grunn vi har trådt tidligere, mange gan-ger. Det skal mer til å få meg ut av humør idag. Ja, jeg skjøn-ner nesten ikke at han noen gang kan ha virket så truende på meg! Hans skjematenkning og hans omstendelige fremstil-ling av alle selvfølgeligheter får meg til å føle meg overlegen. I forhold til hans talevanskeligheter blir mine egne formule-ringer flytende, formfullendte. Jeg kan ikke dy meg for å svare ham med et sitat fra boken. I det siste er slike setninger begynt å dukke opp i hodet mitt nå og da, de synger sin vellyd for ørene mine og tankene blander seg med mine egne tanker. Men det blir min lille hemmelighet, det forteller jeg ikke til ham.

— Doktor! sier jeg for å avbryte hans monotone fornuft, hør her et øyeblikk: *Jeg vil fortælle dig om min kjærlighet mens du sover og jeg vil fortælle dig om min første nat. Jeg husker det, jeg glemte å låse min dør; jeg var seksten år, det var vårtid og varme vinde; Dundas kom. Det var som en ørn som kom susende. Jeg traf ham en morgen før jagttid, han var fem og tyve år og kom fra fjærne reiser, han spaserte ved min side i haven og da han berørte min arm begyndte jeg å elske ham. Han fik to feberrøde flækker i panden, og jeg kunde ha kysset de to flækker* . . . Har dette noe å gjøre med den forelskelsen du snakker om, doktor?

Vi spaserer side om side mens vi snakker slik sammen. Det er sent i september nå. Vi har tykke ytterklær på. Støvlene stamper gjennom dødt løv, og pusten står hvit. Men når jeg slipper disse lekende, sødmefylte setningene ut av munnen, er det som solen plutselig brenner gjennom den skjøre høstdisen, grenene igjen henger tunge av blader.

Han ser grunnende på meg:

— Du har virkelig kastet deg over den b-boken, hva, Glahn? Det er utmerket, det, helt u-utmerket. Å lese er bra for k-konsentrasjonen. Du husker g-godt. Bare du ikke tar alt som står for b-bokstavelig. Du må huske at dette ble skrevet av en meget romatisk f-forfatter f-for hundre år siden. En m-mester i den verbale forførelsens kunst. En genial løgner. . . D-det jeg vil si, er at d-det kanskje ikke er v-verdt å identifisere seg altfor sterkt . . .

Stakkars Feldt. Han har selv hatt litterære ambisjoner. Han har fortalt meg at han har noen noveller liggende, «. . . og de bør nok helst b-bli liggende», som han uttrykte det. Ikke rart

136

han føler seg litt beklemt i møtet med en mester i den verbale forførelses kunst! Jeg kjører ham i et nytt sitat:

— *Så blev det dag, alt var det morgen. Jeg våknet og kjendte ikke væggene i mit kammer igjen, jeg stod op og kjendte ikke mine egne små sko igjen; det rislet noget gjennem mig. Hvad kan det være som risler gjennem mig? tænkte jeg leende. Og hvormange var det klokken just slog? Intet visste jeg, men jeg husket bare at jeg hadde glemt å låse min dør* . . .

— Javisst, mumler Feldt, og sparker i en haug med sammenraket løv. Javisst kan poesien beskrive det f-første møte. Men etterpå da, Glahn. Dagen derpå. Når fortryllelsen skal omsettes i noe k-konkret, en struktur, noe varig, en forpliktelse. Når drømmen skal bli et tekstur til å ta og føle på, hva da? Nå fantasien møter virkeligheten? Hvordan går det med t-trollet når solen renner, hva? Jo, det skal jeg si deg, det sprekker! Som du vel v-vet! Har jeg ikke rett? Hahaha . . . !

Og han ler en tørr, gledesløs, irettesettende latter.

Hans utbrudd overrasker meg. Det er ikke ofte den gode Feldt mister likevekten. Men jeg har fått en mistanke om at det bor ganske mye aggressivitet bak det vennlig åsynet, i hele den lange, lenende skikkelsen, bare man finner nøkkelen som når inn til den . . .

Stemningen er ødelagt, og vi går snart hver til vårt. Han inn på kontoret for å fullføre dagens journal. Jeg til mitt værelse for å fremmane enda noen fjerne hendelser i hukommelsen, som jeg har lovet. Jeg gjør fremskritt. Jeg er også blitt slu og beregnende. Jeg er begynt å lengte etter den dagen da jeg kommer ut herfra. Derfor er det lurest å samarbeide.

31

De første dagene i Macks lysthus. Jeg gjør meg usynlig, sniker meg opp hagestien når jeg ikke hører eller ser noen. Går til tettstedet og gjør mine innkjøp, litt å spise, toalettartikler, stearinlys, parafin til lampen. Den eneste belysningen i min nye bolig er et lysstoffrør i taket. Jeg finner meg til rette. Båthusloftet er ikke stort, men komfortabelt. To sengebenker, lenestol, praktisk plasserte skap som ikke tar opp mye av den trange plassen, lave bord, en kjøkkenkrok. Umalt panel som dufter. På gavlveggen et stort, lyst vindu ut mot fjorden. Jeg sovner til klukkingen av sjø mot bryggepælene. Jeg våkner til sjøens slag mot svaberget når tunge morgenferger har passert ute i leia. Ytterst på eiendommen har berget foldet seg og reist en rygg hvor store stenblokker er satt på kant og bryter bølgene. Her sitter jeg i skjul, godt gjemt for villavinduenes øyne, og spekulerer over hva jeg burde gjøre nå. Men det er vanskelig å samle tankene. Utmattet julistemning preger selv båtlivet på fjorden. Morgenens muntre lyder dempes av feriemånedens tunge, våte pust. Himmelen trekker over og lover regn som ikke kommer. Ustadige vinder river opp vannflaten, pisker hyttefolkets vimpler i én retning, så i en annen, legger seg, utånder utover ettermiddagen. Hver blomst får en farge som åpent, rødt kjøtt i skumringen. De tunge bladene griper som hender. Selv gresset sukker og sukker for hvert skritt jeg tar ...

En dag så jeg et glimt av Edvarda til rors i sin fars cabincruiser. Det sto noen der sammen med henne, som kunne ha vært den unge mannen fra diskoteket. Men det var også andre ungdommer i båten, jeg så dem, de så ikke meg der jeg satt gjemt i min bergsprekk. Jeg snakket med Mack, han virket travel, fraværende, distrahert, nevnte igjen at han hadde så mye å ordne før denne reisen at han ikke visste hvordan han skulle får rukket med alt. Men det var som tankene hans var

138

andre steder. Eva har jeg ikke sett siden jeg kom. Jeg undrer meg litt over dette. Det har gått fire, hvis ikke fem dager hvor jeg fra min usynlige tilstand har holdt oppsyn med alt og registrert det meste. Men bortsett fra en flyktig, hvit vind over terrassen en tidlig morgen, skritt på grusen, den fjerne lyden av en dør som slår inne i huset, har jeg ikke merket et eneste tegn til henne. Og det kunne jo like gjerne ha vært Edvarda. Edvarda. Så jeg har ikke undersøkt nærmere.

Jeg snakket med Mack i ettermiddag, han kom ned på bryggen:

— Jaja, Glahn, nå er det visst endelig klart. I alle fall drar jeg imorgen. Du får ha det så bra og finne deg vel til rette imens ... Han slo et slag bortover, så snudde han som om han plutselig kom på noe han hadde glemt å gi meg beskjed om:

— Det er sant, Eva reiser en tur til sin mor. Det er noe hun har snakket om lenge, det er bare ikke blitt noe av før nå. Blir nok godt for henne å komme seg bort litt, hun er blitt urolig igjen i det siste. Hun ... Han sa ikke mer, stirret bistert ned i vannet som om han hatet alt liv som krøp der nede mellom tare og tang som han ikke kunne få fatt på, ikke engang få øye på.

— Edvarda kommer du nok heller ikke til å se stort til. Hun er mer eller mindre flyttet inn hos han typen. Ja, du vet hvordan det er, ungdommen må jo få prøve seg, hva? Så det blir ikke akkurat folksomt her ute disse ukene. Han smilte sitt kameratslige smil og blunket: — Men du vet jo hvor nøkkelen ligger, så du må bare gå inn og forsyne deg av det som er. Alt du har lyst på. Lat som du er hjemme, det har du jo alltid gjort ...! Hahahahaha! Av en eller annen grunn lot han til å finne den siste replikken ustyrtelig morsom. Selv da jeg trykket hånden hans til adjø, ristet han av tilbaketrengt latter.

Men nå i kveld sitter jeg på plass i mitt lønnetre, usynlig

139

igjen, med utsikt til Evas vindu, for å finne ut hva som ligger bak alt dette. Hun har nettopp tent lyset etter å ha ligget stille på sengen i halvmørket med en arm over ansiktet. Det er varmt, vinduet hennes står åpent. Jeg kan høre lydene inne fra værelset. Jeg hørte det banke på døren hennes for en liten stund siden. Hun lå urørlig. Så ble dørklinken trykket ned, men døren åpnet seg ikke. Ny banking, ingen respons. Ved siden av henne på gulvet står kofferten, ferdig pakket.

Jeg sitter stille og puster så lett som en fugl. Hun har stått opp og tent lyset, satt seg på sengekanten, sitter der uten å røre seg som om hun satt og drømte. Så våkner hun plutselig, griper kofferten, kaster den opp på sengen, åpner den og begynner å rive ut av den alt hun har pakket ned, lar det flagre på måfå omkring i rommet, klær, sko, toalettsaker, en bok ... Det går ikke lydløst for seg. Jeg hører ham banke igjen. Hun lar seg ikke forstyrre. Han rister i dørklinken. Døren er låst. Jeg hører ham rope noe, men kan ikke skjelne ordene. Hun fortsetter innett sin utpakking, døv for hans formaninger. Ny banking. Nye utbrudd bak døren, mer klagende nå, som rop om hjelp. En bønn fra en mann i den ytterste nød. Overgivelsens hulking ... Jeg orker det ikke, jeg holder for ørene. Nå er hun ferdig, smekker kofferten sammen og skyver den inn mot døren. Så kaster hun seg på sengen og legger armene over ansiktet. Blir liggende stille, stille, som før. Men klærne hennes ligger der hulter til bulter omkring i rommet, lyse, lette sommerplagg som store nattsvermere som har styrtet seg sanseløst mot taklampen og blitt liggende der de tilfeldigvis falt. Bak døren er det også blitt stille. Og Pan hviler utslitt i trekronen, skjult for alle.

32

Neste dag skjedde to ting. Jeg snakket såvidt med Edvarda, og Eva viste seg. Været var stadig tungt og truende. Ingen vind skapte noen bevegelse. Fluene surret og stakk. Tidlig om morgenen hadde jeg hørt Macks bil starte og spinne grus nedover oppkjørselen.

Hun overrasket meg med det samme jeg kom ut. Hun hadde stått og ventet, det var tydelig, enda hun hadde tatt med seg en hagesaks for å få det til å se ut som hun hadde annet å gjøre.

— Glahn, sa hun med det samme hun fikk øye på meg. Hun hadde strøket håret bakover og samlet det i en topp i nakken, hun hadde skjortebluse og skjørt på, en tynn gulllenke om halsen. Øynene hadde hun sminket, og en stripe rouge under kinnbena gjorde ansiktet smalere. Alt dette, slo det meg, hadde hun gjort for å virke målbevisst, rolig og avmålt. Voksen til dette møtet.

— Glahn, jeg ville bare si at jeg er lei for at jeg oppførte meg så hysterisk den kvelden. Jeg har virkelig ikke noe med hvem du inviterer hjem til deg, eller hvilken tilstand de er i. Det mener jeg oppriktig . . . Og hun så på meg som om hun mente hvert ord!

— Jeg kommer til å reise bort noen uker sammen med en god venn, Marius som du har møtt, husker du? Og du er vel kanskje dratt når jeg kommer tilbake. Men jeg ville gjerne at vi skulle skilles som venner . . . Det var tross alt . . .

Mer fant hun ikke å si, mer var det vel heller ikke å si. Hun rakte hånden sin halvveis frem før hun oppdaget at jeg sto midt i trappen til naustloftet, for langt unna til å kunne nå frem til henne, enda om jeg hadde villet. Men jeg gjorde ingen bevegelse i hennes retning. Marius. Hun skulle likevel reise på tur med studenten! Der sto hun så frisk, ung og freidig og fortalte meg det rett opp i øynene! Og jeg følte meg

141

trett der jeg sto i den knirkende trappen med de ujevne trinnene og så ned på henne, på hånden med de avbitte neglene som hun nå trakk tilbake i et keitete rykk. Jeg kjente synet av henne som en utmattelse i hele kroppen. Jeg var blitt oppbrukt i min besettelse av denne piken. Jeg følte meg tom, kald og tørr, ødelagt. Ingenting, ikke et kjærtegn, ikke et håndtrykk, ikke engang et vennlig, forsonende ord hadde jeg å tilby henne.

— Så det ble Egeerhavet likevel, da? glapp det ut av meg da tausheten mellom oss ble uutholdelig. Jeg hadde vel ikke tenkt at det skulle lyde ironisk, men jeg så med en gang hvordan hun rynket brynene.

— Nei, interrail, svarte hun kjapt. Fin mulighet for unge mennesker til å komme seg ut og se seg litt om.

— Javisst! jeg var plutselig enig. Er man ung, kan man saktens fire på kravene, både til komfort, og til reisefølge . . . Jeg trodde ellers det var over og ut med studenten . . . ?

— Javisst, sukket hun. Jeg skulle vel ha tenkt meg at det ikke var mulig å snakke to fornuftige ord med en type som deg!

Men jeg holdt frem: — Jeg synes ellers å huske at den gode Marius hadde svært så bestemte synspunkter på interrail, og det for ikke så svært lenge siden! Hans ferieplaner gikk mer i retning av luksuscruise, om jeg ikke tar feil.

— Vi har tenkt å ta toget nedover og hoppe av et sted i Syden. Et sted med en strand, hvor vi kan bade oss og . . .

— Og vinke til cruisebåtene som drar forbi . . . ?

Det var ingen vei ut av dette, et rovdyr, en ulv lå og gnog på mitt utslitte hjerte: hva som helst nå, si hva som helst, gjør hva som helst for å få henne til å forsvinne, få bort dette synet, få lindret smerten:

— Jeg ønsker deg god tur, Edvarda! Og hils psykologen så mye fra meg . . . Vi hadde en samtale her en sen kveld, ja, det var etter St. Hansfesten, faktisk . . . Det viste seg at vi hadde litt av hvert å fortelle hverandre vi to, sammenligne notater, kunne man nesten kalle det, hahaha ...!

Hun så på meg nesten i undring:

— Hva er det for noe i veien med deg som gjør at du liksom må ødelegge alt? Absolutt alt ...?

Så snudde hun seg og gikk. Litt langsomt og tungt forekom det meg der jeg satt i trappen, for utkjørt, for nedtrykt til å orke å klyve de tre-fire trinnene tilbake til loftet mitt, gjemmestedet.

— Godt, tenkte jeg for gud vet hvilken gang etter et av våre sammenstøt: Godt! Det var det! Nå er det endelig over ...

Og denne gangen følte jeg at det var sant. Der ryggen hennes forsvant opp stien visste jeg at jeg så henne for siste gang: en høy, rett rygg med brede, kraftige skuldre som nå krummet seg litt, lutet en tanke fremover som om de bar på en bør.

Slutt. Jeg sa det høyt til meg selv der jeg satt:

— Slutt. Slutt. Slutt!

Ut på ettermiddagen banket det på. Det var Eva. Hun blusset og sa:

— Unnskyld at jeg forstyrrer, men jeg lurte på om du kunne gi meg en håndsrekning ... Hun så så lys, nett og glad ut. Jeg kunne ikke gjøre annet enn å smile tilbake.

Det var et serveringsbrett i sølv som var falt ned bak et tungt skap i stuen. En enkel sak å løfte skapet frem, og så på plass etter at hun hadde listet sin smale arm inn langs gulvlisten. Brettet satte hun fra seg på bordet hvor det allerede sto to høye glass og en champagnekjøler.

— Venter du selskap? spurte jeg.

— Ja, smilte hun. Men ikke ennå.

— Mack nevnte at du skulle reise, sa jeg.

— Det ble ikke noe av, svarte hun. Det skjønner du vel ...

Vi snakket sammen i noen minutter til. Så unnskyldte jeg meg. Det var for mye i dette huset som minte meg om mine nederlag. Jeg flyktet tilbake til loftet og la meg på sengen, lot bølgeslagene vaske tankene bort.

Snart hørte jeg skritt i hagegangen, skritt over bryggeplankene. Jeg åpnet døren. Hun sto på det nederste trappetrinnet med brettet, de høye glassene og en vinflaske dypt begravet i knust is:

— Får jeg lov ... smilte hun, å invitere til selskap hos deg, her i «Lysthuset» ...?

— Bare pass deg her ved det øverste trinnet, sa jeg. Det er høyere enn de andre. Jeg snubler hver gang ...

— Jeg har sett lyset ditt om kveldene, sa hun da hun hadde satt brettet fra seg. Det har en slik varm, koselig glød — jeg hadde lyst til å komme hit ned, men jeg kunne ikke ... Men nå er de reist.

— Ja, nå er de reist, svarte jeg. Det begynte å skumre, men det var for tidlig å tenne lampen.

— Så godt du hører sjøen her, det var jeg ikke klar over. Men — jeg har vel ikke lyttet så veldig de gangene jeg har vært her oppe ... Hør, den nynner og mumler, nynner og mumler ...

— Om morgenen hender det at den slår skikkelig, svarte jeg, når fergene drar forbi. Da låter det av og til som det reneste stormvær.

— Stormvær ...! hvisket hun. Jeg savner stormvær. Å gud som jeg savner stormvær ...!

33

— Hva kan det k-komme av ... Feldt føler seg frem før han stiller sitt spørsmål, stammingen hans er som en snabel som snuser og værer omkring i terrenget før han endelig tør sette foten ned:

— Hva kan d-det komme av, Glahn, at du med d-din idea-listiske, ja, jeg kunne nesten si eksta-tatiske holdning til din forelskelse, denne ungpiken, sånn uten videre innleder et nytt forhold, s-så å si før din første elskede er ute av s-syne? Han har stanset på stien og betrakter meg mildt, nesten humoristisk, men jeg aner en liten triumf i hans vennlige blikk, som om han gjennom alle våre samtaler har fulgt en slags plan, en uttenkt rute i sin argumentasjon og nå er begynt å bevege seg tilbake til stedet hvor stiene møtes og tankene krysser hverandre, hvor han endelig skal fange meg i mine selvmotsigelsers nett.

— Eller kanskje jeg l-likegodt kunne si det på en annen m-måte: Hvordan kan det ha seg at du, når du endelig m-møter en kvinne som tilbyr deg kj-kjærlighet, ekte hengivenhet, alt dette du har gått og sukket og lengtet etter, ikke t-tør ta imot det du får. D-du åpner deg ikke for henne, t-tvert imot, d-du ... Her stanser han midt i setningen, kanskje sanser den følsomme snabelen hans at han er ved å gå for langt, at han blander moral og fakta som om det var om å gjøre å få trengt meg opp i et hjørne. Det er tross alt ikke nye kriser og sammenbrudd han som profesjonell behandler skulle fremkalle, men det motsatte. Eller kanskje han så at blikket mitt begynte å søke omkring i parken for å få noe annet å feste tankene til, et nøytralt punkt, et glimt av glede, ihvertfall av relativ ro, en pause fra hans ustanselige, hakkete foredrag, som både kjeder meg og fyller meg med en slags bister medlidenhet med ham: Jeg ser en hvit figur der fremme, en sykepleierske fra hospitalfløyen. Hun går langsomt, mens hun støtter en pasient med stokk. Skikkelsen hennes er lys og lett mellom de tykke trestammene i alléen som begynner å samle seg i alt høstens grå. Og jeg begynner uvilkårlig å mumle en tekst for meg selv, som om jeg nynnet en gammel sang: *«Løvet gulner enda mere, det lier mot høsten, det er kommet nogen flere*

stjærner på himlen og månen ser fra nu av ut som en skygge
av sølv som er dyppet i guld. Det var ingen kulde, ingenting,
bare en sval stillhet og et strømmende liv i skogen. Hvert træ
stod og tænkte . . .»

Dette setter meg i en forsonlig stemning: Skulle det ikke
likevel være en mulighet for å få ham til å forstå, han som har
sittet med meg og spasert med meg gjennom så mange dager
og timer med samtaler, tatt så mange notater, vist seg så inn-
siktsfull og imøtekommende? Skulle jeg ikke kunne greie å
beskrive mine få dager sammen med Eva slik at *han* kunne
lære noe om lidenskapenes labyrint som mangler både inn-
gang og utgang når du først er fanget i den. Om følelsenes
behov som er umettelige, umettelige, en ild som fortærer
alle, som blusser opp, og slukner, uten hensyn, uten fornuf-
tens kontroll? Jeg forsøker igjen, jeg føler meg trygg på dette,
egentlig er det jo jeg som *vet* og han som skal finne ut. Egent-
lig er det jo jeg som behersker ordene, språket, som kan velge
en fremstilling av disse hendelsene som gjennom en kanon av
rytme og velklang kan skape et bilde av sannhetens uover-
skuelighet. Mens han hele tiden er underlagt sitt brutale han-
dikap og må tråkle seg utenom de mest problematiske vo-
kal/konsonantkonstellasjone i sin haltende jakt på det
passende uttrykk. Det er jeg som har redskapene og overbe-
visningens kraft! Så jeg forsøker igjen; jeg begynner med
kvelden hun kom til meg . . . Nei, jeg begynner med morge-
nen etter, med bølgeslagene under vår brygge i tunge, dovne
drag, dype ekko av nattens stormvær . . . Nei, kanskje helst
soltimene ute i hagen, i skogen, vår paradistilstand i hem-
ningsløs uskyld . . .

Men når jeg møter hans vennlige alvor, hans alltid imøte-
kommende interesse som rommer et snev av overbærenhet i
en dobbelt bunn av takserende beregning, og minner meg
selv om at han jo allerede har gjort sine slutninger, trukket
konklusjonene og bare bruker disse konsultasjonene til å

prikke inn bekreftelsene på sin egen fortreffelighet langs et på forhånd opptrukket diagram, stiger fortvilelsen og raseriet i meg enda en gang. Jeg går meg vill i min jakt på bilder og uttrykksfulle symboler, på den riktige *poesien* som er det eneste som kan uttrykke dette som det virkelig var. Stemninger, spredte uttrykk og setninger fra Edvardas bok kommer til meg igjen og vekker opp i meg Glahn som han var. Denne selsomme, vakre musikken får stemmen hans til å klinge i meg igjen, gale Glahns stemme. For det er nå det glir utfor for ham, det vet jeg jo, det har vi snakket om, det er et faktum jeg må lære meg å forholde meg til. Men så lenge stemmen hans lever i meg, lever han også og fyller strupen min med sine lyse forførende toner:

— *Jeg elsker tre ting . . . Jeg elsker en kjærlighetsdrøm jeg hadde en gang, jeg elsker dig og jeg elsker denne plet jord . . .*

Og doktoren, denne Feldt med sin prestisje, sin menneskekunnskap og sine små litterære håp, kikker interessert i min retning, nikker og spør, vennlig, vennlig:

— Og hva elsker du mest?

— *Drømmen . . .*

— Jaha . . . sier Feldt. Jaha! Visst! Han klasker håndflatene sammen og nikker igjen som om jeg ved dette har kommet den endelige bekreftelsen enda nærmere, og er ved å sette min signatur under hans diagnose.

Jeg lengter til samtaletimen er over, og jeg skal få være i fred: «*En tak for den ensomme nat, for bjergene, mørkets og havets sus, det suser gjennem mitt hjærte . . .*»

Det er snart ikke mer å fortelle. Jeg innser at jeg ikke kan rekke å få dr. Feldt i bevegelse før alt er over. Han sitter fast i sin profesjonelle forstand, i sitt hakkende, haltende språk, i sin optimistiske vilje til å kurere der ingen kur hjelper. To-tre ting til er det kanskje likevel verdt å nevne, siden jeg nå en-

147

gang har gått med på dette, og «samarbeider», skriver min etterpåkloke versjon. To-tre episoder, en ulykkeshendelse, noen få sider til på skriveblokken. Der det hele. Så slutt.

34

Mens jeg ligger på bryggen og kikker ned i det klare vannet, på tangen og sjøvekstene som svever omkring der nede i sin rytmiske, vektløse dans etter sjøens sug, blir jeg vår henne bak meg. Jeg snur meg dovent, ser ingen, men syntes det var en bevegelse inne bak buskene, pust, en liten latter . . . ? Der nede i sjøskyggens drøm går en stim av små fisk, slår snart hit og snart dit, og jeg tenker på hvilken lykke det er å få svømme slik, på signal, på et ubegripelig tegn fra den øvrige stimen, på jakt etter mat, ikke annet . . .

Da hører jeg det igjen, nakne fotslag mot hagehellene, hurtig bevegelse . . . Men da jeg snur meg, ingenting. Ingenting annet enn denne antydningen av en latter som kaller meg opp i hagen, speidende inn mellom buskene, under trærne hvor sol og skygge kaster sitt blindende gitter. Der venter hun. Hun vil jeg skal komme etter og fange henne, enda jeg allerede har fanget henne, flere ganger, jeg vet ikke lenger hvor mange . . . Og da jeg så har fanget henne igjen, og hun står lent mot en bjerkestamme, tungpustet enda hun ikke har løpt, ikke fort og for alvor, med solsmil og skygger i skiftende flukt over ansiktet, og jeg lener meg opp mot henne og føler bark under håndflatene, bjerkens silkeglatte og ru ytterhud, og jeg vet at hun bare har badekåpen sin på og er naken under, og hører henne hviske et lydløst «ja!» allerede, med pusten sin mot min hals, selv da kan jeg høre en stemme som spør: «Er det dette . . . ?» Men hun puster sitt øredøvende

148

«Ja!» med armene om meg, lar badekåpen gli ned, vi er nakne i skogen omhegnet av løvet, beskyttet av den lange, fraflyttede sommermånedens stillestående ugjennomtrengelighet. Alt er mykt, bløtt og saftfullt, bristeferdig under sin fullmodne tyngde: er dette jegerens drøm om den fullkomne elskov, dypt skjult i det grønne, på leiet av dungress, i vindenes vugge?

— Ja. Ja. Ja!!! roper hun og trekker meg over seg, inn i seg som om hun trengte min kropp presset i og igjennom sin egen for å kunne føle selve tilværelsen sprenge mot mulighetenes yttergrenser . . .

Etterpå trenger hun ansiktet mitt nær sitt for å speile en sanseløshet som hun nesten ikke tør vedkjenne seg. Men hva ser hun i jegerens speil?

— Du er ikke her, hvisker hun. Du tenker ikke på meg, det er en annen . . .

— Nei, nei, Eva . . . forsikrer jeg. Jeg tenker på deg hele tiden. Jeg elsker deg! Ingen har noengang kommet meg slik i møte som du. Hvem annen skulle det være . . .?

— Du var ikke her, konstaterer hun med et blikk på meg som forteller at ingenting, ikke noe jeg sa eller gjorde kunne få henne til å elske meg mindre i dette øyeblikket:

— Du var et annet sted med en annen. Fortell meg om henne, jeg blir ikke sint, jeg tåler det, jeg tåler alt når jeg bare er sammen med deg!

Men hva vil hun vite? Det er ingen annen. Det er bare oss to i skogen. Det er blitt sen ettermiddag. Lange skygger. Det damper fra bakken. Jeg reiser meg:

— La oss gå inn, sier jeg.

— Gjerne det, svarer hun. Hvis du vil . . .

Vi går hånd i hånd ned mot båthuset, med nakne føtter på hellene. Solvarmen sitter i veggenes ru, sprukne bord. Malingslukt over gammel tjære. Jeg hjelper henne opp trappen.

— Tilgi meg, sier jeg. Tilgi meg, Eva . . .

149

Hun snur seg og smiler og rister på hodet som om hun ikke riktig forstår: Hun har tilgitt og glemt, det er fortid for henne. Det er oss igjen. Henne og meg nå, i nuet, og her ...

35

Hvor mange dager var det vi fikk sammen? Hvor mange netter? Hvem talte dager og netter? Hva skilte dem? Hun står opp for å gå til villaen og skaffe oss noe å spise. Det er mørkt. Jeg tenner en lommelykt og setter den øverst på trappen så den kan lyse for henne på veien tilbake.

«Hvorfor blir dine øine så våte ...?»

— Hørte du jeg ropte på deg?

— Ja, smiler hun. Derfor fortet jeg meg alt jeg kunne.

— Jeg savnet deg slik ...

Hun er tilbake med brettet med rundstykker, skinke og egg, marmelade og honning. Vi spiser i stillhet. Hun ser på meg hele tiden som om hun nyter synet av ansiktet mitt når jeg stapper munnen full og svelger unna, den ene munnfullen etter den andre. Snart har vi gjort slutt på maten og tømt en ny vinflaske. Så lykkelig kunne man være, tenker jeg ved meg selv. Så lykkelig kan en mann være! Senere ligger jeg med hodet i hennes fang, og hun lar fingrene løpe gjennom håret mitt mens hun forklarer sin kjærlighet med jevn, uforstyrrelig stemme. Og jeg tenker at så heldig, så utvalgt, så ombrust og omfavnet av en kvinnes hele, ufattelige volum av kjærlighetsytringer kan bare en mann være, en lykkelig mann, en mann som jeg!

Men så er vel alt godt da, og som det skal?

«Hvorfor blir dine øine så våte ...?»

Fordi ingenting stanser her, fordi virkelighetens eventyr

aldri får noen lykkelig slutt. Hva var det for en uro som drev meg ut av denne favnen hvor jeg lå som et lykkelig barn og hun ga meg det beste og vakreste i mitt liv? Hva var det jeg syntes jeg hørte utenfor båthuset? En rungende latter? Og når jeg tittet ut, så jeg Macks flirende ansikt i buskene? Hun ville trekke meg inntil seg igjen. Hun sa at jeg var nervøs og overspent. Hennes hengivenhet og hennes tro bygde en bastion omkring oss, et uinntagelig tårn hvor også jeg måtte føle meg trygg og falle til ro. Men det føles plutselig lummert der oppe på naustloftet, og jeg spør om vi ikke kan gå ut en tur i den fine natten, for jeg vil jage henne igjen, gjennom skogen . . . Og hun henger tungt i armen min, ler og kaller meg en romantiker. Men hun blir med. Vi går ut og løper som nakne barn rundt i hagen. Og etterpå bader vi i det svarte vannet, varmt og dødt som julimåneden selv.

Så hutrer vi etter hverandre opp trappen til loftet, hun er trett og vil sove. Vi kryper sammen på den ene, smale brisken. Det smaker salt av huden hennes. Det lukter sjø av håret. Jeg tenker: En slik kvinne treffer du bare en gang i ditt liv, bare en gang . . . Dette gjentar jeg helt til jeg sovner.

Men rett etterpå satt jeg på sengen med sansene spent . . . eller kanskje det var neste natt, eller neste, for ingen talte dager og netter. Jeg var med ett våken, var blitt skremt opp av en lyd. Hvilken lyd? Et rop i min drøm, som et varsel? Noe utenfor? Utenfra? Jeg er ikke sikker, men uroen rir meg, jeg kan ikke ligge stille, og med avtrykket av hennes kinn på min skulder, og varmen fra kroppen hennes i huden, roper jeg ut mens jeg river meg løs:

— *Edvarda* . . . ?

Eva sover rolig, jeg kryper inn til den varme kroppen hennes igjen og tenker at det har vært ingenting, drømmer spøkelser fra et tidligere, ulykkelige liv . . . Lenge ligger jeg slik uten å kunne falle til ro, lar blikket gli omkring i det enkle loftsrommet, velkjent og trygt nå, min nye tilflukt, vår kjærlighets høye tårn. En stripe månelys står inn gjennom gluggen i døren og tegner opp interiørets konturer ... Og jeg skjønner ikke hvorfor den gamle månen helt plutselig gjør meg så syk og urolig? Inntil det plutselig går opp for meg, og jeg står på gulvet igjen med hamrende hjerte og famler etter de nødvendigste klesplagg. For det er ingen måne i natt! Vi har snakket om dette mørket, Eva og jeg. Snakket om sommeren som har stått på sitt høyeste. Lyset som viker. Dagen som plutselig er merkbart kortere, mens vi har bredd julinatten omkring oss og krøpet inntil hverandre som flyktninger under en livbåtpresenning. Månen er nede og vi har lekt julimånedens mørkeleker. Men hva er det da som lyser? Jeg kikker ut: Hele villaen ligger der opplyst! Det var ingen drøm! Hun er kommet tilbake!

Barbent, med bare buksene på, og en trøye, lister jeg meg ned trappen, opp til huset, uten en tanke på hva jeg vil foreta meg om jeg møter henne, om hun skulle få øye på meg. Det er en merkelig stolthet som driver meg, sterkere enn frykten som holder tilbake. Jeg er ennå varm av en kvinnes kropp, jeg er omspunnet av en annen kvinnes usynlige kjærlighetstråder. Det gjør meg sterk, ja usårbar!

Hun må ha tent hver eneste lampe i hele huset! Hvert vindu stråler. Villaen ligger der i sitt lysskinn som en oseandamper kjørt på grunn. Jeg går over terrassen, til tross for at jeg lett kan bli sett. Men det rører seg ikke noe, og ingen lyd kommer der innefra. Jeg går rundt huset på baksiden. Ingen i stuen, ingen i kjøkkenet, alt synes tomt og forlatt. I entréen står en reiseveske som ser ut som den har stått der en stund, ihvertfall kan jeg ikke være sikker på at noen har satt den der nylig. Men i oppkjørselen, rett foran trappen, står Macks gule Mercedes. Og ytterdøren står åpen!

Vi møtes i hallen. Han kommer ned trappen. Han har tydeligvis tatt et bad, er våt i håret og kledd i morgenkåpe og tøfler. De bare leggene hans ser hvite og ynkelige ut, men ansiktet har sin friske farge som alltid.

— Glahn! buldrer den pressede stemmen. Jasså, er det du som er ute på nattevandring?

— Jeg så lys, svarer jeg, og syntes jeg måtte undersøke hva som sto på...

— Javisst, du ventet meg ikke tilbake så snart, hva...? Hahaha! En strek i regningen kanskje...? Hahaha!

Det slår meg at han ikke kan være helt edru. Han holder seg til trappegelenderet og virker usikker på hvor han skal sette foten som stanset mellom to trinn da han fikk øye på meg, om han skal fortsette trappen ned og møte meg her, på gulvet, eller om han skal snu og flykte opp i annen etasje igjen.

— Du skjønner, det var... eh, blitt noe tull med flyforbindelsene. Streik i hele Italia. Så jeg ble sittende i München og suge på labben. Og så... Ja, så kom jeg på den tanken at det igrunnen var galskap å dra ut på en slik tur alene. Du skulle vært med, Thomas. Det skulle vært deg og meg på denne reisen, vet du... Så jeg snudde likegodt nesa hjemover, og takk for det...! Hahaha...! Men la oss få en drink mens vi snakker om sakene, hva?

Vi går inn i stuen, han skritter over gulvet som om han følte seg innestengt i det store, romslige værelset. Han går bort til de brede glassdørene som vender ut mot terrassen og slår dem opp, skyver dem helt til side. Der ute i mørket aner man hagen som ånder.

— Ah! Det var innestengt her! Hva vil du ha?

Jeg lar ham brygge det han selv har lyst på. Utenfor er det som mørket begynner å lokke og trekke, men akkurat nå er det ingen vei for meg tilbake dit. Vi skåler. Jeg har satt meg dypt til rette i sofaen. Han traver fremdeles opp og ned som en bjørn i bur. Der ute, et stykke nede i hagen er jeg blitt oppmerksom på et lyspunkt som stadig drar øynene mine til seg.

— Og jentene da...? spør han spøkefullt liksom henkastet og kikker på meg over kanten av glasset. Hvor har du gjemt dem?

Han prøver å gjøre stemmen sin uanstrengt, lett...

— Kom bare ikke her og si at Eva dro hjem til sin mor like-vel, for jeg har vært oppe og sett at kofferten og alle klærne hennes er der!

Siden han later til å vite alt, har jeg egentlig ikke noe svar på hans spørsmål. Ja, så meget mer enn bare å vite, har han selv lagt alt til rette slik at det som har skjedd *måtte* skje. Og tanken på dette ser ut til å gjøre ham såre tilfreds!

— Nå, din skøyer...?

Men den drønnende latteren hans virket mer og mer som en maskering av virkeligheten, som om han nekter å oppfatte det som skjer i hans liv uten gjennom et filter av desperat hu-mor. Nå venter han at også jeg skal bli med ham og spille hans spill og bekrefte at alt har vært bare på spøk og for moro skyld. Og det underlige skjer, at en dyp sympati for ham begynner å røre seg i meg! Vi skåler igjen. Han har kastet seg ned på sofaen som om han var utkjørt etter en fysisk anstrengelse. Vi sitter begge to i hans strålende opplyste stue, halvt påkledde, som gressenkemenn på alene-fest og holder hvert vårt glass sprit opp i luften.

— Din skøyer...!

Han dulter til meg så isen klirrer i glasset mitt.

— Hvor har du gjort av dem...?

Og plutselig er de siste dagenes hendelser glidd bort og har lagt seg et sted bak i hodet som en uvirkelig bakgrunn, en merkelig, dyp, melankolsk, nesten dyster klang under den støyende, kameratsligheten som bygger seg opp mellom oss:

— Nå...?

Det nærværende, fysiske velbehaget jeg har følt etter flere døgns elskov med Eva, hans vakre kone, glir av og blir erstat-tet av alkoholens lunkne likegladhet: Ingen kjærlighet kleber ved mannen som den gjør ved kvinnen. Mannen står opp og

154

går videre. Perspektivene skifter, jeg føler dyp samhørighet med ham nå. Evas utroskap er blitt noe som knytter oss sammen.

— Du ville ikke tro meg om jeg sa det... Nå klukker jeg også av ekte munterhet, han skal få svar igjen i samme tonefall:

— Jeg har dem oppe i Lysthuset begge to!

Vi knekker begge dobbelt i hjelpeløs latter. Han høyest og voldsomt, som om det jeg sa har en skjult betydning som bare han kjenner eller i alle fall kan bedømme den sanseløse komikken i:

— Edvarda også... ?

— Javisst! Faen spare... !

Nå er det som munterheten blir helt overstadig, tårene renner, jeg sanser meg ikke før stemmen hans skjærer igjennom mine hjelpeløse hikst med et merkelig tydelig og kontrollert tonefall:

— Det ville du vel ha likt det, din jævla hustrupuler... !

Igjen braker latteren løs på et støynivå som om det gjaldt å overdøve all annen lyd, alle tanker. Jeg merker at han reiser seg. Selv føler jeg meg for avkreftet til å gjøre annet enn å synke enda dypere ned i den blomstrede sofaen.

— Men du skjønner, Edvarda er nok et helt annet sted, hun. Hun telegraferte meg nemlig til München. Jentungen sier hun har tenkt å gifte seg. Det var en av grunnene til at jeg syntes det var best å snu... Du skjønner det, Glahn, det er litt av en begivenhet når ens datter, ens eneste barn, går bort og gifter seg. Ikke sant? Selv du skjønner det ...?

— Hva ...? Ja jøss ... Herregud ...

Jeg hører stemmen min kvekke en rekke ord som om latterkrampene ennå ikke gir slipp: Edvarda forlovet. Edvarda gift ... Igjen flykter blikket mitt ut, ut over terrassen, ut i hagen, mot et lyspunkt som svever så rolig og lunt et sted der nede ved bryggen.

— Egentlig burde jeg kverke deg, Glahn, lyder stemmen hans sterk og klar, som et rop nå, ned i min brønn av mismot. Jeg har tenkt på det lenge, jeg har hatt lyst til det, til og med planlagt det ... Endelig ser jeg opp og kikker rett inn i løpet på min egen revolver som han står og retter mot meg.

— Det var jo også en av grunnene til å komme tilbake hit helt overraskende, ikke sant? Gripe deg, gripe dere to *in flagranti,* få et «sammenbrudd» og så bli kvitt dere begge! Smakk! Jeg burde gjort det, din helvetes horebukk. Jeg burde gjøre det nå!

Et øyeblikk er det som kroppen hans stivner i desperat besluttsomhet og pistolløpet står der truende stille rett foran øynene mine. Men så gjør den sølvblanke sirkelen et lite hopp, og ett til, og en rekke små hopp. Og hånden hans, hele armen begynner å vingle og riste i takt med den tykke kroppen som kramper seg under enda et latteranfall:

— Å hohohoho! Åh, bevare meg, Glahn ... Hahahaha! Du skulle ... Du skulle sett deg selv akkurat nå ... Hvordan du, hvordan du bare *stirret* ...! Det hadde du ... Hahaha ...! Dét hadde du ikke trodd det, hva ...? Hva, Glahn ...?

Men jeg har stirret på lyspunktet nede på bryggen, lykten hun har satt ut øverst på trappen for å lyse veien min tilbake til henne, til hennes lune seng og varme kropp. Hun har våknet og funnet at jeg var gått, hun har sett lys i villaen og forstått hva som er på ferde. Så har hun tent lykten og satt den ut så jeg ikke skal snuble i det forræderske øverste trinnet. Og så gått og lagt seg igjen for å vente: hun står ved sin kjærlighet. Hun unnskylder ingenting, forklarer ingenting. Hun bare er der hun ønsker å være.

— Nei, gamle venn, du kan ta det med ro. Det er faktisk lenge siden jeg ønsket å knekke nakken på deg. La oss heller se det slik: Hadde det ikke vært deg, så hadde det vært en annen. En jævel jeg ikke kjenner ... Faen, du er jo en gammel venn, Thomas. Du er faen skjære meg nesten den ... Hvis ikke den eneste ...!

All aggresjon og spenst har forlatt den tunge skikkelsen nå. Hendene henger langs siden. Revolveren dingler fra høyre hånd. I venstre holder han whiskyglasset som han av og til tar seg en slurk av. Morgenkåpen er iferd med å gli opp hvor den store magen hans dytter mot det løst knyttede beltet. Blikket mitt fikseres på dette punktet hvor det hvite kommer til syne, mageskinnet, stramt, glatt, uten en fold eller rynke. Og under skimter jeg kjønnet hans, hengende tungt som en myk, moden frukt. Så begynner den hvite vommen å riste, og han ler igjen — det er som den store kroppen har gjemt på utallige lommer av desperat munterhet som nå blir åpnet og tømt, den ene etter den andre:

— Jeg har vent meg til tanken, skjønner du, Thomas ... Jeg har ... Hahaha ...! til og med sett det komiske i det: Hun, og så ... *deg!* Hahahaha ...! Hva fikk du egentlig ut av det, om du unnskylder at jeg spør så direkte? Hva ...? Du skjønner det, Thomas, jeg har egentlig aldri syntes hun var noe i senga, jeg. Bortsett fra da jeg var ung og ikke visste bedre ... Men ellers har jeg jo møtt dem mer spennende, ja ... Jeg kunne nok fortalt deg en ting eller to ... Jeg er ikke fullt så gammel og støl som du tror ...

Nå står han der og blir stimulert av sine egne ord, for jeg ser penisen hans titte frem i åpningen i morgenkåpen, og jeg fylles fullstendig av dette varme vennskapet for ham, en søyle av godhet, ja ømhet for denne mannen slår plutselig gjennom meg, min venn fra rekruttiden, min svirebror, min velgjører som jeg har sviktet.

— Det var faktisk ei lita snelle der nede i München ... Han har satt glasset fra seg og går og henter flasken, lar morgenkåpen slenge åpen, hans tunge lem veiver dovent i luftrommet foran ham, som en ønskekvist på leting.

— Hun var mørk, Glahn, helt brun. Sjokolade ... Jeg har

157

alltid lurt på hvordan det ville være med en helt mørk en . . .
De kan det der nede, der fikser de hva du vil ha. Et ord til
hotellportieren, og vips så står hun på døra . . . Han tar en
drøy slurk og setter seg tungt ned på det lave armlenet ved si-
den av meg. Hånden som ennå holder revolveren hviler på
skulderen min.

— Du skulle vært med dit ned, Thomas. Det skulle vært
deg og meg, faen heller . . . Han drikker igjen. Jeg kan ikke
få øynene fra dette lemmet som lever sitt eget liv og nå bikker
i retning av meg på grunn av sittestillingen. Som hypnotisert
studerer jeg blodårenettet og de fine små rynkene på den pa-
pirtynne forhuden, mens det blanke, skinnende hodet skyver
seg ørlite frem og tilbake, blir blottlagt, og trekker seg inn
igjen, i takt med hans opphisselse, eller kroppens bevegelser,
pulsslagene . . .

— Se på kvinnfolka, Glahn, de kommer og går — du har
dem en stund, og så: Vips . . .! Nei, det skulle vært deg og
meg i München med hver vår svarte snelle, hva? Hva . . .?

Stemmen hans bærer en vill optimisme, men når jeg ser
opp og møter blikket hans, ser jeg de våte hundeøynene
flomme over:

— Nei, det er ikke det jeg mener, det skjønner du vel. Det
er ikke sånn, det er bare slik en blir vant til å snakke. Det er
det at en mann er et mannfolk, og kvinnfolka . . . Kvinnfolka
de . . .

Han tidde og hodet hang, og jeg lurte på om han hadde
sovnet.

— Vet du noe rart?

Han reiste hodet igjen og kikket på meg med et underlig
blikk.

— Hun er død . . .

— Hvem er død?

— Hun vesle narkofitta vi dumpet i søppelcontaineren den
kvelden.

— Død?

— Ja. Jeg leste det i avisen. Jeg vet jo at du ikke leser aviser. Men hun er død. Som ei sild . . .

Og idet jeg merker kroppen hans riste, ikke av latter nå, men av gråt, kan jeg selv ikke lenger motstå min trang til å trøste, til å røre ved lemmet hans, denne varme, levende, kneisende organismen som siden det fanget oppmerksomheten min, har fylt meg med en slik uimotståelig ømhet og slektskapsfølelse. Jeg lener meg over og griper et vennlig tak, holder det, skifter prøvende, utover, innover, klemmer og slipper og klemmer igjen, løfter pungen hans, prøver vekten av testiklenes bløte klase, famler meg frem, griper tak igjen, trekker forhuden bakover alt den kan tøye seg, helt til grensen, til smertegrensen, slipper og trekker den ned igjen, slipper og trekker igjen som i raseri, for jeg har fått øye på lyset igjen, det lune lyset i båthustrappen som lokker og lokker meg bort fra mitt samvær med Mack, min soldatkamerat og min venn, jeg trekker og drar, fortere, langsommere, ømt og hardhendt, utholdende som i trass; jeg har da dradd pikken hans før, uten at det har skadet noen av oss!

— Du og jeg, Thomas . . . sukker stemmen hans bak meg. Du og jeg, vi skulle vært mere sammen, vi to . . . Faen, du skulle jo lært meg å skyte! Jeg var alltid så helvetes misunnelig på skytingen din. Jeg ble aldri annet enn middelmådig. Men sammen med deg kunne jeg blitt noe ekstra . . . !

— Du er vel god nok, mumler jeg. Du har vel alltid vært god nok til å treffe skiva på tyve meter . . . Men klarer du den på førti?

— Hva mener du?

— Der . . . nikker jeg mens jeg ennå beholder mitt kameratslige tak.

— Der nede, lykten som lyser, kan du treffe den herfra?

— Hvor da . . . ? Å, der nede? Hvem faen er det som tenner lykter i båthuset nå på denne tiden da . . . ?

— Tenk ikke på det, du, bare slukk den for meg!

— Du vil ikke si . . .? Å, din jævela skøyer! Det var som bare faen! Et sting av den gamle, forpinte munterheten har krøpet seg inn i stemmen igjen: Er det *henne* . . .?

— *Slukk den!*

— På denne avstanden?

— Du klarer det!

— Jeg kunne jo prøve, men . . .

— Det var som bare faen!

Men jeg kjenner vekten både av hånden hans og revolveren bli løftet fra skulderen min.

— Ta anlegg på ryggen min! ber jeg idet jeg lener meg fremover, legger meg ned i fanget hans. Du klarer det! Visst klarer du det! Slukk den fordømte lykten!

Jeg ligger med ansiktet hvilende på hans hårete mage, kjenner albuen hans finne støtte på ryggen min, midt mellom skulderbladene, kjenner lukten av ham, av manndommen hans, av såpe, svette og en annen, mer maskulin, krydret parfyme . . .

Jeg kjenner ham spenne kroppen. Jeg kjenner det stive lemmet hans stryke mot kinnet mitt, og jeg gjør det utenkelige, jeg streifer det med min munn, en gang, en gang til, lett, tørt, glatt.

— Ligg stille . . .!

Han styrer det hele nå, med begge albuene boret ned i min rygg. Der jeg ligger med gjenknepne øyne ser jeg ham for meg, med dobbelttak om nøttetresskjeftet. Fullstendig kald, konsentrert om sitt sikte. Uforstyrrelig. Praktfull. Og meg selv ydmykt fremoverlent, nesegrus som en yppersteprest, med ansiktet trykket mot skrittet hans og hånden i fast grep om lemmet hans, mens jeg kjenner ham vokse mot leppene mine, og knapt tør puste for ikke å skape forstyrrelse. Sammen er vi som én organisme, et bilde på mannens ville, ubendige styrke og skammelig salige sanselighet. Og det er som

160

jeg drives av fremmede viljer. Jeg vet jeg vil fullføre vårt tablå. Jeg vil ned i unngjeldelsens mørke dyp, i selvfornedrelsens rensende pøl. Så . . . jeg åpner munnen og former en O omkring hans bløte, bankende spydspiss. Straks trykker han pikken sin helt inn i munnhulen min i sin iver, i sin fantastiske konsentrasjon, og jeg hører ham grynte tilfreds. Så lyder skuddene. Ett, to, tre, . . . Han skyter ut av den åpne verandadøren. Jeg synes jeg hører anslagene mot det gamle treverket, og gir meg helt over til hans store, krevende pikk mens jeg håper jeg aldri mer skal få se den lune lykten. Edvarda skal gifte seg, og jeg vil aldri, aldri igjen se trappen opp til kvinnekjærlighetens trange tårn så tilforlatelig, lokkende opplyst . . . Seks skudd. Seks skudd i tett rekkefølge. Et helt magasin, uten nøling. Og for hvert skudd er det som om penishodet hans vokser i munnen min, inntil det fyller den helt, og jeg rekker å undres over hvor fint, hvor perfekt det passer der inne, før sæden går og jeg nesten vil kveles av klebrig varm væske.

— Jeg fikk den! Jeg fikk den! brøler han før han glir ned i sofaen med et stønn og blir liggende bak meg med ryggen på setet og de sprikende bena hengende ut over ryggstø og armlene. Jeg sitter på gulvet, ør, kvalm og skamfull. Det magiske øyeblikk kom og passerte. Jeg har sluppet taket i kjønnet hans som om det var et dødt dyr. Det finnes ikke lenger et språk eller handlinger til å fortsette denne intimiteten, utvikle den nære, fysiske forbrødringen som kunne gjort menn så sterke. Tilbake er anger og ulyst, en vammel smak av normalitet og fornuftens selvbeskyttende forklaringer.

Hans seiersbrøl gjaller i ørene mine. Han fikk slukket lyset. Nå ønsker jeg plutselig at han ikke har greidd det, at lykten ennå står der og kan lyse meg en vei bort fra dette stedet . . . Og når jeg ser etter, så synes jeg plutselig at den gjør det, for jeg ser helt tydelig, det brenner et lys der nede, en høy, klar, flakkende flamme som vokser så hele båthuset, hele bryggen

plutselig ligger der opplyst! Det ryker, det knitrer som fra et
St. Hansbål . . .

— Det brenner! Jeg snur meg og river i ham, men han ligger der utslått og puster og rører seg ikke.

— Det brenner! *Det brenner!!!* Jeg rister og rykker i den tunge kroppen, jeg slår ham i ansiktet og hører hele tiden ilden rase over det eldgamle, knusktørre treverket. Så våkner han endelig og setter seg opp, står på bena:

— Som faen . . . Det var da som bare faen . . .!

— Brannvesenet! Vi må ringe . . .!

— Jada, mumler han og skjener i retning av døren ut til entréen. Jada, ja jøss . . . Men jeg er da forsikret . . . Jeg er da ihvertfall forsikret . . . Morgenkåpen er glidd av ham og han tøver naken omkring på gulvet. Nå er alt her inne opplyst i rødt, og sprakingen er øredøvende.

— *Men hun er der inne . . .!*

Jeg får øye på henne samtidig som skrikene når oss. Hun står oppe på taket med kroppen forvridd i avsindig panikk, må ha kommet seg opp gjennom takluken, den eneste vei å unnslippe etter at trappen brant ned på noen sekunder. Men ilden står høyt over mønet, hun har bare et øyeblikk å gjøre det på, hun må hoppe, men får ikke sats, snubler, flakser hjelpeløst gjennom ilden og røken i retning av vannet, men for kort. Hun når det ikke, kan ikke nå det, og faller med knusende tyngde mot bryggekanten.

37

— En henrettelse. En regu-gulær *henrettelse* . . .

Dr. Feldt smatter forsiktig på ordet og uttaler det som om han likte smaken av det særlig godt:

— Bi-bi-billedlig talt, selvsagt. Vi har jo vært igjennom det der. Dere *visste* ikke. D-dere *ønsket* det ikke, og så vi-videre. Hvem ku-kunne vite at hun hadde tatt ut en pa-parafinlampe, ikke lykten. Jada. Javel! M-men en *skuddsalve* . . . Han rekker pekefingeren frem som om han siktet på noe, et punkt et stykke borte i parken hvor to-tre pasienter sitter i hagestoler i den bleke solen med en av personalet til selskap.

— En *s-skuddsalve* . . . ! Og det rett mot huset hvor d-dere *begge visste* at kvinnen oppholdt seg . . . Pekefingeren sikter igjen. Han har nok aldri holdt i en revolver den gode Feldt.

— Der trenger man ingen l-lærebok i ubevisste motiver og symbolikk. Den er klar som da-dagen!

Jeg rusler ved siden av ham og lytter til andre ting mens jeg hører stemmen hans. Min egen indre stemme blander seg med hans ord, legger seg over, legger seg bak, som en melodi som bærer hans formuleringer bort, pakker dem inn og tumler dem sammen med løvet: «*Høsten var forbi og dagene blev korte. Den første sne smæltet endnu bort for solen og atter lå marken bar; men nætterne var kolde og vandet frøs. Og alt græs og alle insekter døde.*»

— Du skjønner jo at jeg ikke g-går over dette igjen for å gjøre deg urolig til sinns, t-tvert imot. Jeg synes d-du gjør fremskritt. Jeg t-tror du snart vil være istand til å se d-dette komplekset i det rette per-perspektiv og *vedkjenne deg* d-din aggresjon og din ambi-ambivalens . . .

Hans lange overkropp vaier litt fra side til side når han snakker, blikket er rettet fremover, konsentrert, ettertenksomt, den skarpe nesen stikker frem som nebbet på en vadefugl like før den slår ned og spidder en ny liten fisk i mudderet:

— Du sier d-du elsker kvinnene, Glahn, men i virkeligheten er d-du ikke i stand til å elske. Forelske d-deg, ja, for den som er f-forelsket ser bare seg selv og refleksen av sin egen for-

elskelse! F-forelskelsen drevet til en besettelse er f-forfenge-
lighetens ku-kuliminasjon. Men *elske* . . .? T-tror du virkelig
at d-det du har beskrevet her kan kalles *kjærlig-
het* . . .?

Nå peker avtrekkerfingeren hans et sekund på meg, før
han svinger den ut i parken igjen, som om han lette etter noe,
et mer passende mål for sin tilintetgjørende kraft. Å ja, selv
dr. Feldt har nok hemmeligheter og dunkle ønsker han kun-
ne komme til å gi slipp på om Pan la sin hårete arm om hans
skulder og lot den harske pusten sin kile ham litt i øret . . .

— S-så sier vi det er nok for i d-dag, da. Jeg beholder disse,
jeg l-legger dem ved journalen. Interessant . . . Interes-
sant . . . Går han nå? Er jeg fri for idag? Nei, han får enda
en ettertanke og snur seg. Og jeg må enda en gang flykte til-
bake til stemmene bakenfor: *«Og alt græs og alle insekter
døde . . .»* Hva vil han nå?

— En liten ting, Glahn. Et siste s-spørsmål idag: Løgnene.
Hvordan forklarer du alle løgnene? Før eller s-senere må vi
begynne å nøste opp hva som er l-løgn og hva som er sannhet
i alt d-dette her. Ikke sant? D-du ser det du også? Hva? Ku-
kunne du tenke litt over d-det til imorgen?

Så går han, og han har tatt mine siste notater med seg. De
jeg tenkte skulle ha blitt de siste.

Når jeg likevel fortsetter skrivingen, er det av gammel
vane. Eller kanskje for å overbevise meg selv om at tilværelsen
fortsetter selv om livet har stoppet opp. Jeg forsøker å tenke
over det Feldt sa, om sannhet og løgn, og jeg finner det me-
ningsløst. Om Mack presset pengene sine på meg, eller om
det var jeg som tagg av ham? Jeg tror jeg uten videre kan gå
ut fra at det doktoren mener er løgn, kan passere som sannhet
for meg, og omvendt. Jeg vet for eksempel at Mack ikke dro
til München den gangen, slik han fortalte meg. Han dro til
Oslo sentrum og gikk på strøket. Lette og lette til han fant
henne, piken med de røde skoene. Gjorde henne et tilbud og

leide seg inn med henne på et hotell hvor de turet i dagevis. Før han dro tilbake. Jeg har lest forklaringen hans i rapporten om båthusbrannen. Så hun var ikke død slik han sa. En hvit løgn. Noe han fant på i øyeblikket for å tyne meg. Eller for noe ganske annet. Hva spiller det vel for en rolle? Hun er sikkert død nå . . .

Å skrive får tiden til å gå. Men av og til bryter stemmen igjennom, og jeg må kjempe for å holde ut med min sorg og vri tankene over på andre baner. Men så hender det likevel at jeg gir etter og kjenner jeg faller, og jeg vet at det nærmer seg slutten på min historie, slutten på gale Glahn og hans forvillede drømmer: *«Ja, jeg jorder dig, . . . og kysser av ydmyghet sandet på din grav. En tyk, rosenrød erindring glir gjennem mit indre når jeg tænker på dig, jeg blir som overgydt av velsignelse når jeg husker dit smil. Du gav alt, alt gav du og det kostet ingen overvindelse, for du var selv livets berusede barn. Men andre som sparer karrig endog på sit blik, kan ha hele min tanke. Hvorfor? Spør de tolv månedene og skibene på havet, spør hjærtets gåtefulde Gud . . .»*

Enda en hendelse. En dag til, og en natt og så enda en dag. Så vet ingen noenting mer . . .

38

De kommer og forteller meg at jeg har fått besøk, og at hun venter i peisestuen.

Det rommet de kaller peisestuen er det minste av fellesrommene på institusjonen og blir derfor gjerne kalt «intimt og koselig», skjønt møbler og innredning er ganske likt det som ellers finnes omkring i huset, og peisen bærer ingen synlige spor av at det noengang har vært gjort opp varme i den.

Her får pasientene motta besøk.

Hun står og betrakter et bilde på veggen, et broderi av et landskap med skog, sjø og fjell sydd på strie av en pasient, og satt inn i en billig ramme. Jeg kjenner henne med en gang, enda hun står med ryggen til. Hun har lagt på seg, virker faktisk litt bred over hofter og skuldre, og jeg kan se av holdningen, måten hun har samlet håret i nakken på, og festet det med en praktisk spenne, at tiden har gått og har brakt forandringer også for henne. Når hun snur seg, er ansiktet spent og alvorlig. Hun forsøker seg med et usikkert smil som hun ikke får riktig til. Men det er jo ikke uvanlig på steder som dette. Jeg ser på klærne hennes. De er uten påfallende ungdomspreg og gjør at hun virker eldre. Ja hun ser faktisk litt loslitt ut. Fra jakkeermet henger en løs tråd. Hun har posete bomullsbukser med knær, og utgåtte sko. Det føles vemodig å stå der og kjenne henne og vite at sommeren er forbi. Det sentimentale bildet på veggen bak henne taler til meg: «*Nordlysnatten breder sig over fjæld og dal . . .*»

— Hei. Du ser jo godt ut, sier hun fort, nesten som hun er andpusten: Akkurat som før, kanskje litt tynnere . . . Plutselig skinner ansiktet hennes av svette og jeg vet ikke om det er forlegenheten hun føler i denne situasjonen, eller temperaturen i rommet. Her i peisestuen står alltid varmen på for fullt, som om det gjaldt å kompensere for det kjølige interiøret og den livløse peisen. Utenfor er det svart, naken høst.

— Jeg hadde tenkt å komme . . . Jeg har tenkt på det lenge, forklarer hun, og det prøvende smilet kommer og går: Jeg hørte jo at du var syk, og så visste jeg ikke . . . Og nå kommer jeg for å si adjø.

Dette siste sier hun brått og kontant, som om ordene tumlet nedover bakke i ren lettelse, nå da de endelig er uttalt. Jeg forsøker av alle krefter å bevare min ro. Det brede, sterke ansiktet med det skrå blikket har ikke forandret seg særlig, uten kanskje ved det at tiden som har gått har modellert sin sum

166

av erfaringer i munnvikene, under øynene, lagt en rynke ved nesevingen og en skrått over pannen, trekk som markerer ansiktet hennes og gjør det mindre barnslig og glatt, men samtidig på en merkelig måte mykere, mer imøtekommende, åpent. Og hun sier hun kommer for å si adjø, og jeg som ikke ventet meg noenting, aller minst et besøk, føler likevel skuffelsen velte opp i meg og bli til bitterhet. Men jeg bevarer min ro.

— Ja, jeg skal altså reise, til London. Han jeg bor sammen med er kommet inn på en kunstskole der . . . Hun smiler beskjedent, nesten sjenert, og jeg fylles igjen av godhet for henne, det er altså derfor hun ser så pjuskete ut. Hun har slått seg sammen med en kunstner. Hun prøver det virkelige livet. Men hvorfor kommer hun hit for å fortelle meg at hun skal reise til utlandet med ham?

— Ja, jeg giftet meg jo, som du kanskje hørte, men det skar seg ganske fort. Og så har jeg en liten småjente. Det har vært nok å stå i . . .

Ekteskap! Barn! Hvorfor kommer hun hit og plager meg med dette? Hvor skal jeg gjøre av poesien jeg fylles av ved synet av henne når hun står og kaster sitt dagligdagse liv midt i fjeset på meg?

— Men så si noe da, Glahn! Vær så snill, si noe . . .! De sa at du kunne snakke. De sa at du nesten var frisk . . .! Hun tar et skritt frem, og så stanser hun, som om jeg var smittebefengt, eller en utilregnelig hvis handlinger hun ikke kan stole på.

— Takk for boken, Edvarda . . .

— Boken . . .? Hun stusser og tenker etter, så smiler hun sitt nye, sjenerte smil:

— Å *den* boken . . . Fikk du den? Jeg leste den om igjen og så syntes jeg det var så mange fine ting der, ting som minte meg om oss . . . Hvis du skjønner hva jeg mener . . .

Om jeg skjønner hva hun mener? Denne teksten som igjen

167

har gjort hennes nærvær følbart for meg gjennom de siste ukene. Denne teksten som blander seg med min egen stemme og gir meg en følelse av at tiden likevel ikke har gått, at skogen fremdeles ligger der, åpen for oss, og hvert ord er en jubel ... Inntil bitterheten og smerten kommer og krever sitt.

— Og adjø, sier jeg så.

— Adjø ...?

— Ja, du sier du kom for å si adjø ...

— Åh Glahn, jeg kom for å si deg så mye mer enn det! Jeg ... Nå tør hun ta de siste skrittene, stiller seg rett foran meg, inntil meg ... Nei, jeg kan ikke tåle dette! Jeg fylles av angst. Hun er her for å si adjø, ikke mer! Jeg orker det ikke!

— *Farvel*, sier jeg, *og tak for hver dag* ...

— Så rart du snakker, sier hun. Men det er deilig å høre stemmen din igjen. Ingen snakker som du, vet du det? Ingen sier slike ting som du sier ... Åh Glahn ...! Hun rører ved meg. Hun legger begge armene rundt meg og klemmer kinnet sitt inntil brystet mitt, og pusten hennes er som et langt, sårt hulk:

— Åh Glahn ... Jeg har tenkt så på deg. Jeg blir ikke kvitt deg. Det kommer tilbake til meg natt og dag, tanken på deg, og på oss. Jeg kan slippe alt jeg har i hendene og drømme meg bort. Jeg ligger våken om natten når dette kommer til meg. Jeg kan gå ut i byen uten undertøy, helt besatt av tanken på deg! Og nå orket jeg ikke å dra min vei uten ihvertfall ... Uten ihvertfall å se deg igjen, få snakke med deg ...!

Nei, jeg ventet meg ingenting! Ingenting! Ordene hennes fyller meg bare med iskald skrekk:

— *Det er sandt* sier jeg. *De vilde jo si mig noget ...?*

— Men hører du ikke da? roper hun. Hva er det med deg? Hører du ikke hva jeg sier? Jeg kom til deg for å ... For å se deg. Og for å ... få et minne om deg. Et *minne*, Glahn! Forstår du hva jeg mener? Et avtrykk av kroppen din, så jeg kan-

skje en gang kan bli ferdig med deg! En mann kan jeg glem-
me, men ikke en drøm . . . Bli virkelig for meg, og hold opp
å forfølge meg! Er det så mye forlangt?

Hun dunker pannen mot brystet mitt mens hun snakker.
De sterke armene hennes presser kroppene våre tett sammen.
Jeg vil si henne at det er for sent, altfor sent, at legen har sagt
at jeg ikke kan elske, og jeg vet det er sant. All min kjærlighet
er død slik jeg selv føler meg, død. At bare kroppen min ennå
eksisterer og tråkker de samme spor, alltid samme spor . . .
Og jeg vet det er best slik for når jeg virkelig føler min kropp
nær hennes igjen, og huden min reagere på hennes, når jeg
plutselig lever igjen og kjenner henne på små signaler og mer-
ker, på de små nærhetens tegn, for alltid tatovert i mitt nerve-
system, kjenner jeg også fortvilelsens og forbitrelsens mørke
stige omkring meg og i meg.

— Se her, hvisker hun og fjerner seg litt, tar et lite skritt
fra meg, snur ryggen til og famler med noe, et belte, et bånd?
Og plutselig slipper hun buksene ned et stykke så bakenden
blottes, under har hun en minitruse som avdekker mer enn
den skjuler.

— Du pleide å like meg slik, husker du . . . ?

Hun har grepet tak i en stolrygg og inntar en svai posisjon,
hun stiller seg opp for meg med et småpikeaktig, kokett lite
kniks, mens hun sender meg et fort blikk over skulderen og
lar de brede hoftene sine rotere nesten umerkelig:

— Du likte meg slik, Glahn, husker du det? Du pleide å
like meg når jeg sto slik . . . !

— *Så for satan, ti dog stille, menneske!* hveser jeg og tram-
per foten i gulvet. Det går et øyeblikk før hun reagerer, så
smyger en overraskelse seg inn i de vid-åpne ansiktstrekkene
hennes og hun gjør en grimase, nesten i smerte, trekker fort
buksene opp og knytter beltet med et engstelig smil:

— Tilgi meg, Glahn, vær så snill, det var galt av meg. Kjæ-
re, tilgi meg, vær så snill . . . !

169

— *Farvel,* sier jeg, *og tak for hver dag* ...

— Ja, adjø da, sier hun. Adjø. Det var bare det jeg kom for å si. Og for å fortelle at jeg har det bra. Og at jeg gleder meg til å reise til London ... Tenk London, jeg som aldri har vært utenlands ... Hun står foran meg og holder hånden frem, men jeg ser ned, og hun trekker den fort tilbake.

— Se i det minste på meg, Glahn, ber hun. Se på meg! For ingen har sett meg som du!

Men i stedet bukker jeg dypt og sier:

— *Jeg hilser Dem, skjønjomfru!*

Og da hun ikke svarer, bukker jeg en gang til og sier det samme:

— *Jeg hilser Dem, skjønjomfru!*

Og jeg holder øynene tett lukket, så jeg skal slippe å se ansiktet hennes.

39

— Interessant, virkelig interessant! Dr. Feldt sitter rett overfor meg og de vennlige øynene glimter blått av intelligent interesse og høye forhåpninger til resultatene av denne samtalen. Han banket på døren min mens jeg ennå forsøkte å komme til hektene etter Edvardas besøk. Han er tydeligvis svært spent på utfallet av dette møtet i peisestuen.

— N-nyttig å treffe så mange medspillere som m-mulig i dette dramaet. Og her hadde vi jo s-selve den kvinnelige ho-hovedrolleinnehaver, hva ...? K-kan vi ikke si det slik?

— Så blir det lettere å d-danne seg et fullstendig bilde ...

Selvfølgelig vil jeg som vanlig hjelpe ham så godt jeg kan, svare på spørsmålene han stiller, bekrefte teoriene hans så langt jeg kan. Men det er noe i hans måte å snakke på som

170

virker ekstra støtende idag. Noe ved ordene han velger som gjør at jeg knapt kan forstå hva han mener. Som om han forurenser hvert eneste emne han berører. Min egen sang slik jeg kjenner den nå, er så mye mektigere, så mye mer overbevisende, flytende, fulltonende — hva skal jeg med hans hjelpeløst hakkende omtrentligheter og tilnærminger? Men jeg prøver å komme ham i møte, jeg roper til ham som over en avstand, som fra en lys, fredet glenne i skogen:

— *Si mig*, sier jeg, *hvad er Deres egentlige mening om jomfru Edvarda? Det interesserer mig å vite!*

Han kikker skøyeraktig på meg:

— Så v-vi er i dét humø-møret idag? Det er vel forresten ikke så rart, en slik k-konfrontasjon ganske uforberedt ... Hva jeg s-synes? Jo ... hun var j-jo, hva skal jeg s-si ...? Han betrakter meg mens den nølende, stammende snabelen hans snuser omkring i vokabularet for å finne de hensiktsmessige ordene:

— F-faktisk syntes jeg ved første b-blikk hun virket som en ga-ganske ordinær ung dame, ikke s-spesiell på noen måte, vel, hun var jo ti-tiltrekkende, ganske p-pen ...

— Pen? roper jeg ut og kjenner redselen krype inn under huden igjen. Synes du virkelig det? En plutselig skrekk tar mine egne ord fra meg og erstatter dem med andre: *Synes du hun har en vakker pande? Det synes ikke jeg. Hun har en djævelsk pande. Hun vasker heller ikke sine hender.*

— Vel, svarer doktoren godmodig, *så* n-nøye kan jeg ikke si at jeg gikk inn på sakene ... M-men jeg synes jo dette møtet har stilt ditt pro-problem, eller kanskje jeg skulle si, ditt *b-brudd* enda klarere frem for m-meg ...

Han sitter der på den andre siden av bordet som en sjakkspiller som vet at hans posisjon på brettet er overlegen, og bare venter på et hastig trekk til fra min side, kanskje to, før han kan rope sitt triumferende: Matt!

— Jeg t-tror du skal prøve å se d-det slik: D-du treffer en

171

ung pi-pike og forelsker deg heftig i henne, men hun avviser deg, og s-selv de g-gangene hun er medgjørlig, b-blir med deg hjem og s-så videre, plages du sta-stadig av f-følelsen av at du er henne underlegen. Er du med ...?

Er jeg med? *«Spør de tolv måneder og skibene på havet, spør hjærtets gåtefulde Gud ...»*

— Så ..., Feldt tar seg god tid til å forberede sine poenger, rykker stolen sin litt tilbake, legger det ene lange benet over det andre så jeg ser hans frynsete sokk:

— Så møter du en annen k-kvinne, en kvinne på din egen alder, et modent og re-reflektert menneske, hun forelsker seg i *d-deg*, gir seg hen, tilbyr d-deg alt du har d-drømt om, ja mer til, s-skal jeg d-dømme etter dine notater, og hva skjer? *Jo* ... Og her kan han ikke dy seg for å ta frem pekefingeren igjen:

— Jo, du tar rett og slett l-livet av henne! Du t-tar *li-livet* av henne, Glahn! Selvsagt ikke med vi-viten og overlegg. Men det skjer! J-jeg ser av notatene her at d-du føler *hat* mot d-denne kvinnen idet skuddene avfyres — ikke direkte mot hennes *p-person*, men li-likevel ... *Hat* mot den kvinnen som ga deg sin kjærlighet! Hva er da *d-dette* for noe?

«Spør de tolv måneder og skibene på havet. Spør hjærtets gåtefulde Gud ...»

— Jo, *d-dét* kan jeg kanskje f-fortelle deg: Det kalles på fagspråket «vikarierende mo-motiv», kort og enkelt sagt: Du straffer et menneske for et annet menneskes for-forbrytelser. Du l-lar din skuf-uffelse og ditt raseri over å b-bli forsmådd g-gå ut over henne som el-elsker deg! Skjønner du? Eller er du kanskje ennå redd for slik innsikt?

— *Rædd for? Bedste doktor! De kan kanskje meddele mig nye ting idag? Kan jeg lykønske Dem? Ikke? Ja, pokker tro Dem, hahaha!*

Han smiler mildt, overbærende, dette smilet som av og til driver meg fra mine sanser av irritasjon, som om *han* sitter der

172

og er mesteren, mens jeg pent må høre på hans ynkelige utlegninger om mitt liv og takke til!

— Ta det rolig, Glahn. Jeg skjønner at d-dette har vært en p-påkjenning for deg, men jeg tror kanskje vi begynner å n-nærme oss sakens kjerne her: Jeg har nemlig en mistanke om at det i d-ditt tilfelle kan være enda mer k-komplisert enn som så ... Kanskje ... j-jeg sier *kanskje*, Glahn, er d-det likevel ikke *henne* du straffet på d-denne måten, men *d-deg selv!* Hva sier d-du nå til d-det?

— Hva jeg sier til det? «*Spør de tolv måneder og skibene på havet. Spør hjærtets gåtefulde Gud ...*»

— J-jo hør her: Siden d-du opplevde å bli av-avvist av d-din store, romantiske forelskelse, og dermed f-fikk en alvorlig knekk i ditt selvbilde — d-det er jo slikt som skjer m-med oss alle ... Og han koster på meg dette sympatiserende, medvitende smilet igjen, som om han og jeg vet noe sammen, en hemmelighet som vi deler som menn, og jeg avskyr det smilet! Jeg hater det!

— S-siden ungpiken d-du forelsket deg i nektet deg kjærligheten, k-kan det da ikke rett og slett hende at d-du et sted dypt, dypt n-nede i det underbevisste begynte å ønske livet av henne som elsket d-deg, *f-for å straffe d-deg selv?* Fordi du følte at kjærligheten en gang for alle var nektet deg. D-du var kjærligheten *uverdig*, og d-derfor måtte hun som bød deg sin kjærlighet f-forsvinne rett og slett? Hva ...? Skjønner du ...? Han lener seg tilbake og slår blikket mot taket med en mine som om det nå er taklampen som henger der i sin krok som plutselig har fanget hans interesse. Det er tydelig at han er fornøyd med de trekk han har gjort idag. Han bryr seg ikke engang om å betrakte meg for å kontrollere at hans argumenter har gjort det ønskede inntrykk. Han oppfører seg som en som feirer sin seier på forhånd.

— Selvsagt er det vi-videre et spørsmål hvor vi skal s-søke forklaringen på denne *be-besettelsen* som man vel må kalle

173

din f-forelskelse i denne jentungen, hva som har skapt d-den usedvanlige *intensiteten* i dragningen du har fø-følt mot dette mennesket, og jeg lurer på ... Jeg lu-lurer virkelig på om ikke noe av svaret er å fi-finne på det s-sosiale plan: Hun var en overklassepike, Glahn. D-du har aldri villet si stort om din b-bakgrunn, men jeg har forstått at den er g-ganske beskjeden. S-samtidig som din stolthet, eller skulle jeg s-si *forfengelighet* ... Pekefingeren hans borer seg inn i brystet mitt som en nål, det vennlige, medvitende blikket hans har en gjennomtrengende kvalitet idet han setter sine øyne i mine, som om jeg var et insekt som sprellet under lupen. Han tror seg så skarpsindig denne doktoren med sitt gode renommé for å trenge dypt inn i menneskesinnet og løse opp knutene der inne, sine symmetriske idéer og sin ordnede arbeidstid. I virkeligheten ynker jeg hele hans fremtoning som i hver fiber bærer preg av den nølen og ekstra omtanke, den mangel på naturlig direkthet og i impulsivitet, hans stemmedefekt pålegger ham hvert våkent minutt. Det er en nølen jeg aldri har kjent! Min fot snubler ikke der jeg trår frem! Min stemme lyder fulltonende som et orgel. Dets fineste fløytetoner lokker på menneskenes våreste følelser, deres drømte ønsker og håp, deres smil og tårer. Dets bassoktaver påkaller selve naturkraften, solen, månen, stjernenes karusell, universets fire grunnelementer, luft, vann, jord og ild! Så jeg har råd til å le av doktorens spissfindigheter, jeg kan løfte min hatt og sende ham et oppmuntrende blikk:

— *De kan kanskje meddele mig nye ting idag? Kan jeg lykønske Dem? Ikke? Ja pokker tro Dem, hahaha!*

— S-som jeg sa, din forfengelighet ... fortsetter han uforstyrrelig, er så g-gjennomgripende, ja så *mo-monumental*, at for deg b-blir æresfølelsen en sterkere d-drift enn selve kjønnsdriften! N-når du blir forsmådd av en kvinne, og attpå til en ung pike d-du føler deg sosialt underlegen, er fallet b-bunnløst, ja *u-uopprettelig!*

174

— Hun har forresten en vakker pande, sier jeg, *og hendes hænder er alltid rene. Det var bare en tilfældighet at de var skitne en gang. Jeg mente ikke å si andet* ...

— Jeg hø-hører du er på flukt like lukt tilbake inn i romantikken, Glahn, sier doktoren med et uttrykk som lar en tanke oppgitthet krype inn under all den profesjonelle forståelsen.

— D-dette møtet med p-piken idag har kanskje vært en større påkjenning enn vi hadde regnet m-med ... En langt s-større påkjenning, ja. Men så var det heller ikke så l-lett å forutse at *hun* skulle oppføre s-seg som hun gjorde, p-provosere d-deg på d-den måten, d-det var meget ubetenksomt gjort av henne. Meget uheldig ...

—Nei det var ikke stygt av hende! skriker jeg. *Du skal ikke sitte her og laste hende, hun gjør intet stygt, det var riktig av hende å le av mig. Ti stille for satan og lat mig være i fred, hører du!*

— OK, sier Feldt med sin mest overbærende stemme. S-så sier vi det, nok for idag. P-prøv å falle til ro nå, vi har gjort s-store fremskritt, t-tenk på det: D-det *må* bli smertefullt med slike k-konfrontasjoner. Men det er n-nødvendig. Ja, helt n-nødvendig. Et lite råd før jeg går: La den hersens boken l-ligge. Det virker som d-den ikke har noen heldig effekt på d-deg akkurat nå. Du identifiserer d-deg for sterkt. D-de fleste ro-romantiske helter er selvdestruktive psykopater, v-vet du. Og det var helst ikke i d-dén retningen vi skulle bevege oss. Enig ...?

Doktor, sier jeg heftig og reiser meg fra stolen jeg også. Doktor, kunne du ikke gjøre noe for meg før du går? Et lite kunststykke, haha ... Kunne du ikke prøve å si: «Ripsbusker og andre buskvekster» fort? Så fort du kan? Det er ganske lett, kom nå: «Ripsbusker og andre buskvekster» ... «Ripsbusker og andre buskvekster ...» En morsom lek, hahahaha!

Men Feldt lar seg ikke bringe ut av fatning, og jeg skjønner allerede før han åpner munnen at jeg har gjort en feil, og gitt ham enda et overtak:

— Glahn da, sier han vennlig, smilende, fullstendig rolig. J-jeg trodde v-vi var ferdige med d-den klassiske aggresjonsfikseringen . . . Men hvis du s-synes det er nødvendig, så for all del . . . Ville du kanskje ha noe beroligende?

Da han har gått, snur humøret mitt plutselig drastisk og jeg kan nesten ikke holde tårene tilbake av medlidenhet med den vennlige mannen som ofrer så mye tid og krefter på å gjøre meg funksjonsdyktig og frisk. Gjennom måneder har han jo vært min eneste venn og fortrolige. Jeg føler meg ondskapsfull, ussel, i gjeld til alle. Jeg vet ikke hva jeg skal ta meg til fra minutt til minutt: Bli her inne på værelset, her i fengselet? Nei. Gå ut i fellesrommene? Ut i parken omgitt av høye murer? Nei. Hvert åndedrett er en kamp. Jeg synker om på sengen og overfalles straks av drømmer og vrangforestillinger, sære stemmer: *«Det blåser litt, en fremmed vind kommer til mig, et sælsomt lufttrykk. Hvad er det? Jeg ser mig om og ser ingen. Vinden kalder mig og min sjæl bøier sig bejande imot kaldet og jeg føler mig løftet ut av min sammenhæng, trykket til et usynlig bryst, mine øine dugger, jeg sitrer, — Gud står et sted i nærheten og ser på mig . . . Jeg vender hodet om, det fremmede lufttryk forsvinder og jeg ser noget som ryggen av en ånd som vandrer lydløst ind gjennem skogen . . . Jeg strir en kort stund med en tung bedøvelse . . . Jeg blir så dødsens træt og jeg sovner.»*

Jeg våkner, det er blitt mørkt og jeg er alene. Alene som en som har trampet ned og ødelagt alt omkring seg, jaget alle bort, brent sitt hus, tatt farvel. Alene som klokketårnet kneisende over en fraflyttet by, hvor klokkens malmfulle røst er forstummet og bare svalenes ville skrik er tilbake, før de også styrter seg inn i solnedgangshimmelen. Jeg setter meg opp i sengen, samler føttene oppunder meg, legger armene om leggene og klemmer til, rugger frem og tilbake, frem og til-

176

bake. Men ingen klokke klemter. Røsten er stum og jeg vet hva det betyr.

Etter en tid går jeg ut av sengen, trekker en stol frem på gulvet, står opp på den og hekter taklampen ned fra sin krok, ledningen sliter jeg av. Så drar jeg beltet mitt ut av buksen, lager renneløkke i beltespennen, står på tå og strekker meg for å finne det hullet i læret som passer best å få hektet inn på kroken i taket, finner det, legger løkken om halsen og fester enden på beltet, forsøker i løpet av et sekund eller to å beregne hvor høyt fall jeg kan få uten at føttene rører ved gulvet. Så, uten å tenke meg om et øyeblikk sparker jeg stolen vekk med et voldsomt byks, og faller.

40

Men mitt selvmordsforsøk feilet ynkelig. Elektrikeren fant meg liggende på gulvet da han kom for å lokalisere kortslutningen. Kroken må ha sittet for dårlig festet i gipstaket. Jeg kan ennå kjenne biter av stukk mellom tennene her jeg ligger på sykestuen med en bandasje rundt halsen som gjør det vanskelig å røre på hodet. Strupehodet har fått en skade. Jeg har mistet stemmen, ihvertfall nesten. Midlertidig, sier man her. Det kan rettes på, ingenting å være redd for. Jeg får nok stemmen igjen, men det kan ta en stund. Imens ligger jeg her og noterer dette, for å få tiden til å gå til klokken ni da lysene slukkes ...

Feldt kom innom som snarest. For en gang skyld så han brydd og bekymret ut:

— G-glahn! ropte han og kom bort til sengen, bøyde seg over meg som en far bøyer seg over et barn, med et uttrykk så irettesettende og samtidig fullt av medlidenhet og beklagelse at jeg kjente tårene presse på igjen, og avmektighetens lammende hånd gripe til.

— Glahn, hva er det d-du finner på? Nå s-som vi virkelig begnte å komme noen vei. D-du skulle ha sagt noe, gitt meg et l-lite signal . . . Jeg bebreider også meg selv når slike t-ting skjer, vet du . . .

Det er det igjen! Han er mer opptatt av seg og sin terapi enn av meg. Nå svever det bilde, sympatiske ansiktet hans rett over mitt med et spørrende uttrykk, som om han ventet seg en bekreftelse fra meg på at ingenting av dette er *hans* skyld, at *han* ikke kan klandres, og at *hans* behandlingsopplegg ikke vil bli skadelidende . . .

— Doktor . . . harket jeg og kjente smerten svi i strupen. Doktor kom hit . . . bøy deg helt ned til meg . . . så skal jeg fortelle deg noe om kjærligheten . . . En hemmelighet bare jeg kjenner til . . . Noe jeg har hatt lyst til å si en lang stund . . . Å, men det gjør vondt å høre de hese lydene, ordene som støtes frem som anstrengte sukk fra en knust strupe, en diksjon ikke stort bedre enn hans: der gikk mitt siste våpen, mitt siste forsvarsmiddel, orgelet puster og gisper . . . Jeg trekker doktorens ansikt helt ned mot mitt, hans øre helt ned mot min munn, og så spytter jeg ham i øret. Han rykker bakover, spretter opp i stående stilling med et lite utbrudd. Et øyeblikk kjemper irritasjon og forferdelse med det evindelige overbærende smilet i ansiktet hans, så sier han fort, nesten fryktsomt:

— Så så, Glahn . . . Så s-så . . . Ta d-det med ro . . . P-prøv å få deg litt hvile nå, så s-snakker vi sammen til uken. D-du må ikke skuffe meg nå. Vi skal f-få deg frisk igjen vet du. J-jeg skal be p-pleiersken komme med noe beroligende . . .

Så går han.

Ja, bare be pleiersken komme! Jeg skal ta vel imot henne, jeg håper det er den nye, den yngste av dem. Det vil gjøre det lettere for meg . . . Mens jeg venter øver jeg meg på å lage lyder som ikke høres ut som ravneskrik. Jeg føler meg faktisk i litt bedre humør. Jeg prøver å nynne litt, brumme, sier lavt: Jajajaja, og jojojojo . . . Jeg synes det går bedre alt. Kanskje vil det ta kortere tid enn de sa å få stemmen tilbake, få renset orgelpipene, slå full akkord igjen og se dem lytte og undre seg, skjelve . . .

Når hun kommer, er det allerede helt mørkt ute. Tiden vider seg ut og trekker seg sammen. Oktoberettermiddagen er kort. Det passer meg utmerket. Det er den nye, den yngste som kommer. Hun står et øyeblikk i døråpningen så spinkel og ung med sitt brett i hendene. Jeg vinker på henne. Hun nærmer seg som om hun var litt engstelig, hun er nok ennå ikke helt vant til å omgås «vanskelige» pasienter.

— *Sæt dig* . . . hvisker jeg. Når jeg hvisker blir raspingen borte, kanskje sangen ennå kan anes?

— Jeg kan godt stå, svarer hun. Jeg skulle bare gi deg dette . . .

— *Sæt dig* . . . *så fortæller du mig hvad du heter* . . .

— Hanne . . .

— Nei, jeg tror jeg vil kalle deg Henriette . . .

— Gjerne for meg . . . Hun smiler.

— *Du er så spinkel og ung* . . . hvisker jeg.

— Ikke *så* ung, retter hun meg. Jeg er nitten.

— *Sæt dig* . . . jeg ber henne en gang til, og hun setter seg, varsomt, ytterst på sengekanten.

— *Har du en kjæreste, Henriette?*

Hun ler:

— For det første heter jeg Hanne. For det andre har jeg en kjæreste, ja.

— *Og har han nogengang omfavnet dig* . . . *?*

Jeg kan merke på holdningen hennes at hun faller til ro, at stemmen fra skogene får henne til å lytte, og tenke etter, falle litt inn i seg selv og betrakte sitt liv.

— Mener du jeg skal svare på det, altså . . . ?

179

Hun blusser.

— *Har han nogengang omfavnet dig . . . ?*

— Å, du vet . . .

—*Hvormange ganger allerede . . . ?*

Hun bare ser stort på meg og rister på hodet. Jeg gjentar:

—*Hvormange ganger . . . ?*

— Nei, vet du hva — slikt blir det faktisk litt vanskelig å holde regning med!

Dette ler vi av begge to, og jeg trekker henne til meg:

—*Hvorledes gjorde han det? Gjorde han det således . . . ?*

Jeg har armene rundt henne i en vennskapelig, ganske uskyldig omfavnelse, hun vil gjøre seg fri, men min hviskende stemme har bundet henne:

—*Gjorde han således . . . ?*

— Ja! hvisker hun. Nei, jeg vet ikke . . . Pusten hennes går raskt: — Men nå må vi ikke sitte slik lenger, det skjønner du vel. Jeg kom bare inn for å gi deg en sprøyte . . .

— Henriette, hvisker jeg. Får jeg be deg om noe?

— Hva da? spør hun engstelig, hun er iferd med å dra seg ut av mitt varme grep om henne.

— Bare en liten ting, en bagatell: Kan jeg ikke få slippe den sprøyten?

— Men det er bare noe å sove på, litt til å roe deg ned, sa legen.

— Synes du ikke jeg er rolig nok? Jeg er redd for sprøyter!

— Du? Redd for sprøyter . . . ? Hun fniser, jeg ser jeg har vunnet igjen.

— Tabletter, hvisker jeg. Heller tabletter, så mange du vil, bare jeg slipper sprøyten!

— Men legen sa . . .

— Hvordan skal han få vite?

— Men . . .

— Bare et sovemiddel, så lover jeg deg aldri å bry deg igjen!

— Jeg har dette, sier hun og leter blant medikamentene

180

sine på brettet . . . Jeg vet ikke, det er imot reglementet . . .
— *Hvor du er spinkel og ung* . . . hvisker jeg og tar hånden
hennes. Hun gir meg tablettene.

Så er det bare å vente i tiden som vider seg ut og trekker seg
sammen. Minuttene tikker avsted, plutselig er en halvtime
gått. Og en time . . . Jeg ligger urørlig med lukkede øyne,
som om jeg sover, men tablettene jeg fikk, skyllet jeg ned i
vasken straks hun var ute av døren. Og nøkkelknippet ligger
gjemt i putevaret. Sykehusfløyens lyder fjerner seg etterhvert
som kveldsrutinene avvikles, snart er de bare som fjerne dån
fra en trafikkert gate langt unna. Sus fra en stjerne.
   De hvite veggene, taket, skjermbrettet, vasken, stolen,
nattbordet, skapet. De høye vinduene med sine gitter og sik-
kerhetslåser . . .
   Jeg er alene som bare den kan være som avskyr seg selv og
sitt eget selskap. Men hvem kan holde ut en slik tanke? Jeg
setter meg opp og griper skrivesakene for å få disse siste mi-
nuttene til å gå. Det er likevel liten sjanse for at noen skal
komme og finne meg våken. Når jeg ser pennen fly over papi-
ret, hører jeg tonene, kallende, lokkende: *«Hvor har du væ-
ret, min pike! Ingensteds. Ingensteds? Hør du, jeg kjender
dig igjen, jeg traf dig i sommer . . .»* Rop innenfra, ubevege-
lighetens rop som binder meg der jeg er . . . Nei, ikke det!
   Jeg vil av gammel vane notere ned en rapport fra disse siste
minuttene: Planen min har slått til, jeg ligger bare og venter
på at klokken skal slå ni og lyset skal slukkes så fløyen blir lig-
gende helt i ro med bare nattvakten på sin søvnige post. Men
når jeg ser pennen løpe over papiret, er det likevel som jeg
mister den siste rest av motstandskraft og besluttsomhet:
«Dumpe, dumpe lød åreslagene fra en ensom båt . . .», og jeg
gynges inn i poetisk melankoli, enda min sinnstilstand skulle
være stikk motsatt nå da bare noen minutter skiller meg fra
den endelige løslatelsen. Flukt. Frihet: *«Jeg lover dig å bli en*

anden mand imorgen ... Du skal ikke kjende mig igjen imorgen, jeg skal le og kysse dig, min deilige pike. Tænk jeg har bare denne nat tilbake, så blir jeg en anden mand, om nogen timer er jeg det. Godnat ...» Ja, jeg føler meg full av optimisme og besluttsomhet. I øyeblikket har jeg ingen sorger. Planen er klar ... Likevel er det som også disse siste øyeblikkene vil lamme meg, trekke meg ned: «... *Jeg lenges bare bort, hvorhen vet jeg ikke, men langt bort, kanske til Afrika, til Indien. For jeg hører skogene og ensomheten til ...»* Tårene faller på puten, og jeg må trykke dynen mot ansiktet for å kvele min gråt: «... *Jeg hører skogene og ensomheten til ...»* Er det slik? Jeg spør ut i det tomme rommet:

— Er det slik ...?

Nei! Det er ikke slik! Lyden av min egen hese, raspende stemme bryter besvergelsen: Det er ikke slik! Jeg hører ikke skogene og ensomheten til. Jeg er en mann av kjøtt og blod. Jeg hører verden og menneskene til. Min uskjønne stemme roper det ut! Verden og menneskene!

Klokken er ni, lyset slukkes, stillheten faller. Jeg ser ikke lenger papiret jeg skriver på her jeg sitter på sengekanten. Noen skritt borte står skapet med klærne mine. Jeg har nøkkelknippet jeg stjal ut av lommen på lille Hanne da jeg holdt rundt henne og bedøvet hennes sanser med min lokketone. Om et øyeblikk står jeg opp og går herfra. Ut. Til verden og menneskene!

ANNEN DEL

Stenografisk referat av vitneforklaring avgitt av siktede, hr. Carl Martin Mack i anledning skyteepisode på hans kontor natt til fredag den 11. oktober d.å. (utdrag):

Klokken må ha vært litt over elleve. Jeg hørte bankingen. Jeg hadde først ikke tenkt å lukke opp, vi har vært en del plaget av uteliggere og andre uvedkommende i denne gården, de kommer seg lett inn gjenom den ødelagte porten (. . .) Men bankingen vedvarte og ble så instendig at jeg til slutt gikk og åpnet. Det var altså ham. Ved første øyekast virket han rolig og avbalansert, han smilte og hilste som om vi sist skulle ha truffet hverandre bare kort tid i forveien. Her må jeg kanskje legge til at jeg ikke har følt meg istand til å besøke ham på klinikken den tiden han befant seg der ute, jeg har rett og slett ikke maktet det, det forstår De kanskje etter det som skjedde den gangen, med båthusbrannen og det hele, som jeg tidligere har forklart. Jeg har villet legge alt dette bak meg, begynne livet på nytt så å si . . . Det har jo også vært mye å gjøre med omleggingen av forretningsdriften (. . .) Jeg skal ikke legge skjul på at jeg har følt presset tungt fra tid til annen, og at jeg også, etter legens råd, i perioder har gått på antidepressiver. Men jeg har som sagt forsøkt å legge ulykken bak meg, ikke grave meg ned i spekulasjoner om fordeling av skyld og ansvar, jeg vil snu opp et nytt blad, komme videre (. . .) Men så står han der altså i døren og hilser som om vi skulle ha vært sammen i forrige uke under vennskapelige omstendigheter! Ja, i første øyeblikk så det ut for meg som han hadde pyntet seg opp — det skulle forresten ikke ha forbauset meg, jeg har sjelden truffet en så personlig forfengelig mann som Thomas Glahn. Helt fra han var ung — jeg har vel

185

fortalt at vi var venner på rekruttskolen — viste han etter min mening en utpreget sans for å stikke seg frem, ta seg ut, særlig overfor kvinnene, selvsagt. Men det var som om det var mest om å gjøre for ham å fange deres oppmerksomhet, jeg tror egentlig ikke han var noen Casanova i banal forstand, til det var han for innesluttet og sær. Men han elsket å være i sentrum for deres oppmerksomhet, det var som en mani hos ham. Og jeg må si, at han også denne kvelden så overraskende kjekk ut — jeg vet ikke hva man kan vente seg etter et par års opphold på nerveklinikk, men han lot ikke til å ha mistet stort av sin gamle sjarm. Han var jo blitt tynnere, mer markert, hadde fått grått i håret, men jeg går ut fra at tiden setter sine merker på de fleste av oss (. . .) Vel, da han kom innenfor, så jeg jo at han var altfor tynnkledd for årstiden, og dessuten hadde sykehusskjorte på under jakken, og at det jeg hadde trodd var en stiv, hvit snipp, i virkeligheten var en bandasje. «Herregud, hva har du gjort deg der?» tror jeg var det første jeg sa. «Ingenting,» svarte han og smilte enda bredere. «Bare et lite uhell . . .» Men jeg hørte jo på stemmen hans at han måtte ha skadet strupen. Etterpå fikk jeg høre hva som virkelig hadde skjedd (. . .) Men han lot altså til å være i fin form, gikk frem og tilbake mellom kontorpultene og snakket til meg med sin hese, hviskende stemme, sa noe slikt som at det var så godt å se meg igjen, at han hadde lengtet etter å treffe meg, at han ofte hadde tenkt på at han hadde behandlet meg dårlig den gangen for to år siden, men at det kanskje ville komme en anledning til å gjøre alt godt igjen, at han denne gangen virkelig kom for å tilby sitt vennskap. Og så videre. Jeg må si at jeg bare hørte etter med et halvt øre, jeg var mer opptatt av hvordan jeg skulle bli kvitt ham, siden det etterhvert begynte å gå opp for meg at han måtte ha rømt fra klinikken, og gud vet hvilket drama som egentlig hadde utspilt seg der. Jeg merket også at han var mye mer oppspilt og ubalansert enn jeg først hadde fått inntrykk av, han smilte

186

stadig som om humøret hans var på topp, men når han snakket om gamle dager, brannen og sin egen part i denne tragiske hendelsen, så jeg at han hadde tårer i øynene, enda han prøvde å vende ansiktet bort. Men jeg oppfattet ikke dette som noe faresignal, jeg kjente ham jo som et meget emosjonelt menneske, følelsesutbrudd var dagligdagse for Thomas Glahn. Jeg var akkurat iferd med å formulere et påskudd til å få ham ut av kontoret, jeg skyldte på arbeidet jeg måtte gjøre, at det var sent og så videre, jeg tror til og med jeg tilbød ham penger til å finne seg et sted å overnatte, jeg sa at vi kanskje kunne treffes neste dag, ta en kopp kaffe og en prat, jeg ville kort sagt bare bli kvitt ham, jeg skal ikke legge skjul på at hans nærvær satte meg i en opprørt sinnsstemning, mange ting kom tilbake til meg som jeg helst ville ha skjøvet ned i glemselen. Men det var altså da han kom med sitt forslag om at vi skulle reise bort sammen. «Til Afrika!» sa han og gestikulerte foran ansiktet mitt med et oppspilt blikk. «Til India! Vi kunne gå på jakt, du og jeg, sove i telt, i palmehytter, vi kunne la oss bære gjennom jungelen av innfødte tjenere, ha to brune kvinner til å tenne opp leirbål og lage maten til oss om kvelden. Du nevnte det selv engang, husker du? La oss gjøre det nå, Mack. La oss gjøre det, du og jeg!» Her siktet han antagelig til at jeg inviterte ham med på forretningsreise en gang det var meningen jeg skulle besøke også enkelte sydlige destinasjoner. Men den turen ble det ikke noe av, og jeg sa altså til ham at det nå var helt umulig for meg å planlegge noen slags reise der jeg satt midt oppe i omstruktureringen av firmaet, og at jeg dessverre måtte be ham gå fordi jeg hadde arbeid å gjøre. Men jeg skulle jo skjønt at jeg ikke ville bli kvitt ham så lett. De forstår, Thomas Glahn reagerte ikke som andre mennesker på avvisning og kritikk, han reagerte heller tvert imot. Istedet for å holde seg borte fra et sted hvor han var uønsket, var han ikke til å få fjernet fra stedet. Og mennesker som klart sa fra at de ikke ville ha noe med ham å gjøre,

kunne være sikre på å ha ham diltende etter seg kanskje i da-
gevis. Min datter for eksempel, Edvarda, ble regelrett for-
fulgt av ham den sommeren (. . .) Enda hun (. . .) Enda hun
gjorde alt for å riste ham av seg. Hva det var han ønsket å oppnå
nå hos henne, en skolepike, er ikke lett å forstå. Eller rettere
sagt, det forstår jeg jo nå. Men la meg komme tilbake til det
i sin tur (. . .) Ihvertfall så han bare underlig på meg da jeg
ba ham gå, og svarte: «Men du skylder meg en dag av ditt liv!
Her er jeg for å kreve inn skylden. Men jeg kan nøye meg med
en natt . . .» Her siktet han tydeligvis til et tåpelig veddemål
vi gjorde en ettermiddag den sommeren da vi skjøt på blink
og taperen skulle «gi» den som vant en dag av sitt liv. Og der
sto han og så ut som han mente det! Jeg prøvde å le det bort,
jeg prøvde enda en gang å si at det passet meg særlig dårlig
med besøk akkurat den kvelden, at vi gjerne kunne treffes en
annen gang, og så videre, men jeg så at det ikke trengte inn
hos ham, uansett hva jeg sa. Han bare så på meg med et un-
derlig, nesten medlidende blikk og svarte: «Men jeg skulle jo
lære deg å bli en god skytter!» Dette var også noe vi hadde
spøkt om en gang, han er — eller skulle jeg kanskje si var —
nemlig en utmerket skytter, og vi hadde hatt mange friske
tevlinger sammen. Men nå begynte hans påtrengende opp-
førsel virkelig å uroe meg, og jeg spurte rett ut om han trodde
jeg hadde pistoler og skytebane der på kontoret, og om han
ikke kunne være så snill å fjerne seg og la meg få arbeide, så
kunne vi møtes og ta noen runder ved en senere anledning.
Jeg skjønte jo godt at det ikke ville bli noen 'senere anled-
ning' ettersom det nå var helt klart for meg at han ikke var
ved sine fulle fem, og måtte ha rømt fra klinikken. Jeg lurte
til og med på hvordan jeg skulle få sneket meg til å ringe til
politiet (. . .) Men så skjedde det altså at *han* plutselig tok
frem en revolver, min egen Smith & Wesson, la den på skrive-
bordet og sa: «Det er derfor jeg har hentet våpenet ditt, Mack.
Fordi jeg vil lære deg å bli en god skytter nå i kveld.»

Jeg sverger at det var slik det skjedde! Og jeg må innrømme at jeg ble virkelig redd. Han hadde altså vært hjemme hos meg, kommet seg inn — det var ingen i huset, min samboer hadde gudskjelov reist på en weekendtur med noen venninner — funnet frem revolveren min og ammunisjon, og oppsporet meg på kontoret. Et øyeblikk slo det meg at jeg burde rive til meg våpenet og holde ham i sjakk til jeg fikk ringt til politiet, men De skjønner kanskje at noe slikt likevel ikke er så lett å gjøre i virkeligheten: han opptrådte jo ikke truende, tvert imot, han smilte vennlig, om enn litt sørgmodig hele tiden, og ordene han sa eller rettere sagt hvisket, kom nølende, liksom ujevnt, men i en selsom rytme, som om han resiterte en regle eller en sang han hadde lært en gang. Men dette kan jo ha vært et resultat av hans skade, ikke vet jeg (. . .) Ihvertfall ble vi stående der på hver vår side av skrivebordet med revolveren liggende mellom oss, og han sa: «Du må gjøre det, Mack.» Bare det. «Du må gjøre det, Mack.» Og idet han sa det, var det som om en sorg falt over ham og tok bolig i ansiktet hans — jeg kan ikke si det på annen måte: jeg har aldri sett noe menneske se så til det ytterste fortvilet og sorgfull ut. Og dette uttrykket, sammen med hånden han holdt frem, som om han bød meg å gripe revolveren — han hadde store, velformede hender med sterke fingre og jevne, vakkert buede negler — fortalte meg klart og tydelig at det han var kommet for, var i virkeligheten å be meg om å ta hans liv (. . .) (Her ber siktede om å få ta en pause).

Ta hans liv! Selvsagt hadde jeg tenkt mange ting i løpet av de to års tid som var gått siden den ulykksalige sommeren. Jeg hadde tumlet med spekulasjoner om skyld og ansvar for min stakkars ulykkelige Evas død. Jeg hadde anklaget meg selv for å ha støtt min tenåringsdatter fra meg og — muligens — inn i et altfor tidlig og ulykkelig ekteskap, og senere en livsstil som er meg fremmed og støtende. Jeg hadde sett Glahns del-

189

aktighet i vår families skipbrudd, og jeg hadde forbannet den dagen vi møttes igjen og jeg inviterte ham til å bli boende på min hybel. Men jeg hadde aldri en eneste gang virkelig tenkt — eller engang ønsket — å ta livet av ham! De må tro meg! Ikke en eneste gang! Og det gjorde jeg ikke nå heller, langt ifra! Hans ord, og hans ansikt fortalte meg at han hadde lidd like mye som meg, og at hans lidelse ikke levnet ham noen lindring eller utvei. Han søkte døden! Det grep meg dypt. De må huske på at vi var venner — ja, helt siden tiden på rekruttskolen hadde vi vært knyttet til hverandre på en underlig fjern, men likevel, skal jeg si intim? måte. Ulike som vi var, forsto vi hverandre. Jeg vet jeg ofte tenkte på ham i de årene vi ikke så noe til hverandre. Og nå sto han der og ba meg om hjelp til å gjøre slutt på det hele! Jeg var dypt rystet, jeg prøvde å snakke ham til rette, jeg gikk til og med bort til ham, la hånden på skulderen hans, ba ham besinne seg (. . .) Jeg husker ikke lenger hvilke ord jeg brukte. Men han bare så på meg med sitt fjerne, tunge blikk og sa: «Kanskje jeg skulle reist med deg den gangen, Mack». Eller noe slikt. Jeg husker det ikke så nøye. Det var ikke fornuftig manns tale. Jeg motsa ham i hvertfall ikke, jeg innså at det ikke ville hatt noen hensikt, antagelig bare gjort galt verre. Men nå var det som om min medgjørlighet plutselig irriterte ham, og han ropte: «Men så gjør det da! Hvorfor gjør du det ikke?» Og så trev han revolveren fra skrivebordet, siktet på meg og fyrte av (. . .) Det vil si, han siktet ikke rett på meg, da ville jeg ikke sittet her, Thomas Glahn var en utmerket skytter, men jeg hørte kulen gå tett ved øret mitt. Ja, dere har selv sett hvor den gikk inn i veggen. Og jeg hadde jo ikke annet å gjøre enn å kaste meg over ham for å avvæpne ham, jeg fryktet jo for mitt liv! Jeg tenkte ikke engang på at han var yngre og sprekere enn meg. Men det ble ikke til noe ordentlig basketak, for han ga seg med en gang — dessuten var han hindret i sine bevegelser av den stive bandasjen rundt halsen. Nei, det virket

190

nærmest som han var lettet da jeg vristet revolveren fra ham, jeg syntes til og med jeg hørte den hese stemmen hans hviske: «Nå, gamle venn, nå. Nå!» Men det kan jo ha vært innbilning i kampens hete (. . .) Ihvertfall ble han rasende da jeg rettet våpenet mot ham og sa at jeg hadde tenkt å ringe til politiet. Han skrek opp og kalte meg en kujon, en fordømt forræder og andre ting i den gaten, helt ubehersket. Men jeg kan ikke si jeg la vekt på hans utskjelling på dette tidspunktet (. . .) Da var det han begynte å snakke om Edvarda, min datter. Han fortalte at hun hadde besøkt ham på klinikken, bare for kort tid siden. Jeg kunne gjerne få opplysningen bekreftet om jeg ikke trodde ham, sa han, og jeg må si at jeg i øyeblikket fant hans fremstilling meget overbevisende. Så fortsatte han å male ut detaljer fra hennes besøk på den mest opprivende måte. I følge hans fortelling hadde min datter rett og slett kommet dit ut for å by seg frem for ham, hun hadde kledd av seg, og stilt seg opp for ham i forskjellige forførende poser, og så videre «som en tispe i løpetiden» var uttrykket han brukte, «som en tispe i løpetiden!» (Her ber siktede om en pause).

Jeg har jo tidligere forklart meg vedrørende omstendighetene omkring brannen hvor min stakkars hustru mistet livet. De som er kjent med denne forklaringen, vil også vite at Thomas Glahn på den tiden hadde et forhold til min avdøde hustru. Selv om mitt ekteskap til tider hadde vært problematisk, og det forekom utenomekteskapelige forbindelser på begge sider, en tilstand jeg etterhvert hadde lært meg å leve med, var det selvfølgelig svært opprørende å få rede på at også han, en gammel venn (. . .) Ja, De forstår sikkert. Dette hadde jeg jo til en viss grad hatt tid til å fordøye. Men når han nå begynte å snakke om min datter! Og det på den mest slibrige måte (. . .) Han fortalte at han hadde hatt et forhold gående både til henne og til min hustru på samme tid den sommeren! At hun, Edvarda, var kommet til ham hver dag. «Hver dag, kom

191

hun,» sa han, da jeg trodde hun gikk til privattimer. Hver dag kom hun og lot ham (. . .) lot seg (. . .) utnytte! av denne libertineren! Han fortalte meg i detalj hvordan han hadde tatt hennes dyd, og hvordan hun siden var blitt, som han sa, fullstendig besatt av ham, og ikke kunne la ham være i fred, kom på døren hans dag og natt. Og så videre. Og han brukte de groveste, mest utspekulerte ord og uttrykk, ja han gikk *for* langt, han malte ut motbydelige detaljer og hendelser som ikke *kunne* ha funnet sted, det rant ut av ham, det var som en uuttømmelig foss av perversiteter og krenkelser, og jeg holdt det til slutt ikke ut lenger. Jeg skrek til ham og ba ham holde opp, ristet ham, slo til ham i ansiktet, men det lot til å oppildne hans skitne fantasi snarere enn det motsatte. Fullstendig ute av meg hevet jeg til slutt revolveren som i selvforsvar, jeg følte meg drevet til den ytterste grense, og skjøt mot ham. Ja, jeg skjøt, jeg siktet rett på ham og skjøt! Men sinnsbevegelsen gjorde at hånden min, ja hele kroppen min rystet, og jeg var dessuten aldri noen skarpskytter med revolver, så jeg traff dårlig. Jeg innrømmer at det var min hensikt å drepe ham om nødvendig for å få stoppet munnen på ham. Men jeg bommet. Jeg traff ham i skulderen, eller i armen, jeg er ikke sikker. Skuddet rev ham overende, men han kom seg merkelig fort opp igjen, holt seg om armen, kikket forundret på fingrene hvor blodet piplet frem (. . .) Det var som om skuddsåret gjorde ham rolig og glad. Ja, han smilte til meg! Han kom mot meg smilende som en bror: «Mack,» hvisket han med den underlige, hese stemmen sin. «Mack, Mack.» Helt bort til meg kom han, stilte seg inntil meg som om han ville støtte seg, hvile (. . .) Jeg vet ikke hva jeg sa, kanskje noe om å ringe etter lege og få ham under behandling, men han stanset meg, grep hånden min som ennå holdt revolveren og la den om sine skuldre. «Hold på meg, Mack,» hvisket han. «Hold rundt meg, gamle venn.» Jeg kjente at hans hånd var seig av blod fra såret, men han slapp ikke taket, han knuget

192

fremdeles hånden min med revolveren, la hodet sitt helt inntil mitt og hvisket noe, jeg oppfattet ikke helt hva det var, han var sterkt beveget, og stemmen var utydelig, og selv var jeg jo nærmest sanseløs, men jeg tror han sa noe om å gå på jakt sammen: «Du og jeg skal gå på jakt sammen, Mack,» eller noe slikt, mens han hele tiden dro armen min i et tettere grep om sin hals. Så var det som det gikk en krampetrekning gjennom kroppen hans, hånden som holdt tak i min strammet til som en klo, skuddet gikk av og må ha truffet ham under øret. Han var død i armene mine. (Her bryter siktede sammen og må føres bort).